Un Exercice par Jour

Hugo Image

Ouvrage dirigé par Isabelle Antoni
Jeux : Alain Dubois

34-36, rue La Pérouse
75116 Paris
www.hugoetcie.fr

ISBN : 9782755683738
Dépôt légal : octobre 2020
Imprimé en Chine

Merci d'avoir choisi cette éphéméride pour passer l'année 2021 en notre compagnie.

Que ce soit des sudokus et des mots en croix, des mots détachés, des horloges, des grilles 8x3, des damiers, des boules perdues ou des lettres en plus, et plein d'autres encore, nous espérons que la variété des jeux proposés, aussi bien avec des chiffres qu'avec des lettres, mettra votre sagacité à l'épreuve et vous apportera chaque jour un plaisir nouveau.

Et si certains jeux vous paraissent au début insolubles, vous vous apercevrez qu'au fil des jours vous arrivez de plus en plus facilement à résoudre tous ces problèmes, qui redeviendront ce qu'ils sont en réalité : des jeux !

À la fin de l'année, ils n'auront plus aucun secret pour vous ! Et quelle satisfaction lorsque la grille est terminée !

Mais méfiez-vous que votre entourage (à la maison ou au bureau) ne se précipite, avant vous, sur le jeu de logique du jour !

Nous vous souhaitons une bonne année ludique !

P.S. : bien sûr, la solution est au verso de chaque page.

Carte de visite

Remettez dans le bon ordre les lettres composant le nom d'un personnage célèbre.

NOEL DAWYLO

Cinéaste et acteur américain
né en 1935

1er
JANVIER

8h44 17h04

Jour de l'an

WOODY ALLEN

Quiz

Redonnez à chaque pays le nom qu'il portait autrefois.

ÉTHIOPIE	BIRMANIE
BOLIVIE	BESSARABIE
CANADA	HAUT PÉROU
MOLDAVIE	ABYSSINIE
TAÏWAN	PERSE
IRAN	ÎLE DE FRANCE
SRI LANKA	CEYLAN
MYANMAR	NOUVELLE FRANCE
ÎLE MAURICE	FORMOSE

ÉTHIOPIE >> ABYSSINIE

BOLIVIE >> HAUT PÉROU

CANADA >> NOUVELLE FRANCE

MOLDAVIE >> BESSARABIE

TAÏWAN >> FORMOSE

IRAN >> PERSE

SRI LANKA >> CEYLAN

MYANMAR >> BIRMANIE

ÎLE MAURICE >> ÎLE DE FRANCE

Quatre coins

Pour former un mot, il faut prendre une lettre dans chaque case. Les lettres de la case 1 seront placées dans la première rangée verticale, etc

E C O M						A D E U
1		1	2	3	4	2
3						4
E R R U						E N S X

	1	2	3	4

3

JANVIER

8h44 17h06

Épiphanie

EDEN
CEUX
OURS
MARE

D'autres solutions sont parfois possibles.

Approximation

En vous aidant de la définition un peu tirée par les cheveux, découvrez l'énigme.

Définition :
Rôle d'une branche

Énigme :
Pochette à compartiments

4
JANVIER
8h44 17h07
St Odilon

PORTEFEUILLE

Damier

Remplacez judicieusement trois lettres de chacun des deux mots par les six pions, pour former deux nouveaux mots. Un même pion ne peut être utilisé qu'une seule fois.

A	C	H	J	N	T

N	U	M	É	R	I	S	E	R
R	U	S	S	I	F	I	E	R

5

JANVIER

☀ 8h44 ☀ 17h09

St Édouard

HUMANISER JUSTICIER

D'autres solutions
sont parfois possibles.

À votre avis ?

Quel nom commun vient logiquement s'intercaler entre les deux mots cités dans les pages d'un dictionnaire ?

NÉGOCIER

☐☐☐☐☐☐☐

NÈGRE

6

JANVIER

8h44 17h10

Ste Mélaine

NÉGONDO

Bonne orthographe

Des trois mots, lequel est bien orthographié ?

1) DILEMME
2) DILEMNE
3) DILEME

(Obligation de choisir entre deux partis comprenant chacun des inconvénients)

7

JANVIER

8h43 17h11

St Raymond

1
DILEMME

Téte à queue

À chaque mot il manque une lettre, soit celle du début, soit celle de la fin. Une fois la grille remplie, un dernier mot apparaîtra dans la rangée fléchée.

					A	G	O	N
C	O	Q	U					
					A	L	V	E
I	D	I	O					
					N	V	O	L
J	O	K	E					
					E	A	N	T

8

JANVIER

8h43 · 17h12

St Lucien

WAGON
COQUE
SALVE
IDIOT
ENVOL
JOKER
NÉANT

ce qui donne :
WESTERN

Dédalo

Reliez les paires en vous déplaçant uniquement en lignes horizontales et verticales. Les lignes ne doivent ni se croiser ni se superposer.

3									2
							1		
								6	3
				4				4	
							6	5	
		2	5						
									1

9
JANVIER
8h43 17h13
Ste Alix

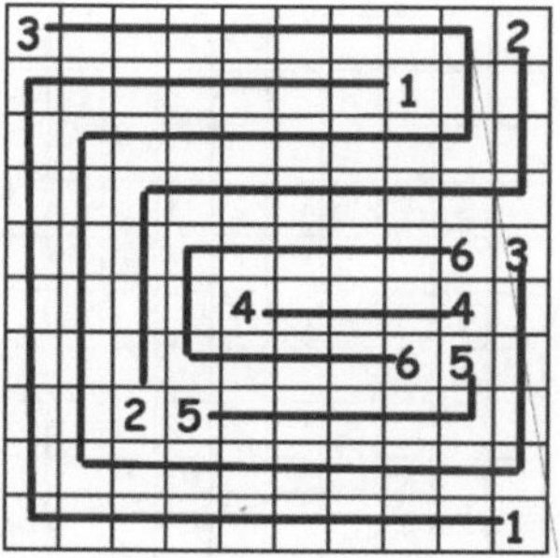

Damier

Remplacez trois lettres de chacun des deux mots par les six pions, pour former deux nouveaux mots. Un pion ne peut être utilisé qu'une seule fois.

T I A G N E

P	R	O	F	O	N	D	E	S

H	E	U	R	E	U	S	E	S

10

JANVIER

8h42 17h15

St Guillaume

PRÉSIDENT HARGNEUSE

D'autres solutions sont parfois possibles.

Mots en croix

En utilisant, UNE SEULE FOIS, les 9 lettres ci-dessous, vous devez compléter le tableau de façon à former trois mots horizontaux qui se croiseront avec les trois mots verticaux.

A	E	I	I	N	R	S	T	U

		F	R	A		
		R	O	B		
P	L				E	R
G	U				R	E
G	E				S	E
		E	E	I		
		R	R	F		

11

JANVIER

8h42 17h16

St Paulin

		F	R	A		
		R	O	B		
P	L	E	U	R	E	R
G	U	I	T	A	R	E
G	E	N	I	S	S	E
		E	E	I		
		R	R	F		

Labyrinthe

Partez de la case 1 et trouvez le chemin qui vous conduira à la case 2 en formant un mot.
Attention : n'utiliser qu'une seule fois une même lettre.

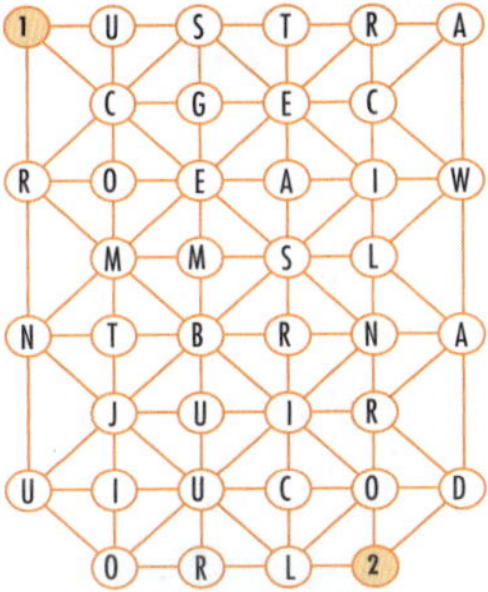

12

JANVIER

8h41 17h17

Ste Tatiana

COMBINARD

Deux pour un

En utilisant toutes les lettres des deux mots de chaque rangée horizontale, formez un nouveau mot. Ensuite, avec les lettres des cases colorées lues dans l'ordre, découvrez un dernier mot.

C	O	N	E	+	P	A	R	T
=								
M	O	R	S	+	P	E	S	E
=								
F	U	M	E	+	N	O	I	R
=								
R	A	T	E	+	T	U	N	E
=								

13
JANVIER
8h41 17h19
Ste Yvette

PORTANCE
PROMESSE
UNIFORME
ATTÉNUER

ce qui donne :
PORT

Trombones

En éliminant trois trombones, sans changer l'ordre des autres, vous découvrirez un mot de cinq lettres.

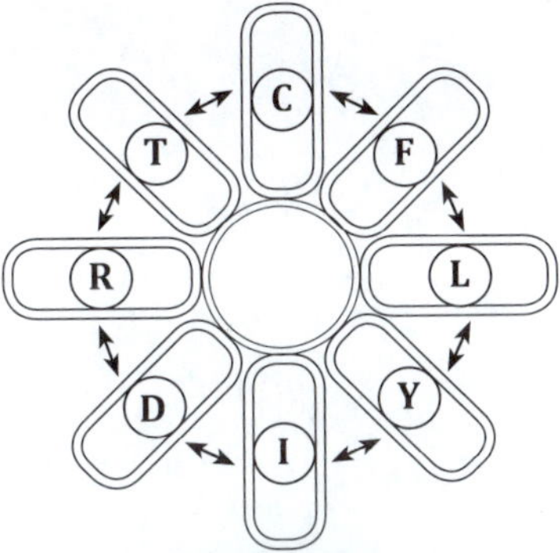

14

JANVIER

8h40 17h20

Ste Nina

FLIRT

Faites vos comptes

Complétez cette grille de mots croisés, sachant que chaque lettre a une valeur en points et que le total de chaque mot est donné.

Le mot POÈME figure dans la grille.

A = 1	N = 7
D = 2	O = 8
E = 3	P = 9
I = 4	S = 10
L = 5	T = 11
M = 6	U = 12

	27	29	15	10	37	
29				N		
22				■	U	
16						4
29						
14	E		■			11
				7		

15

JANVIER

8h39 17h21

St Rémi

P	I	A	N	O
A	D	I	E	U
L	I	N	■	I
P	O	E	M	E
E	T	■	A	S

Sudoku

Complétez la grille de sorte que chaque colonne, ligne ou carré 3x3 contienne une fois tous les chiffres de 1 à 9.

4					5	3		
			3					2
		1		9			4	
						8		7
		6		1			3	
3		9						5
9		5	4					
2					8	1		
		4	1	2				

16

JANVIER

8h39 17h23

St Marcel

4	2	8	7	6	5	3	9	1
6	9	7	3	4	1	5	8	2
5	3	1	8	9	2	7	4	6
1	4	2	5	3	9	8	6	7
8	5	6	2	1	7	4	3	9
3	7	9	6	8	4	2	1	5
9	1	5	4	7	3	6	2	8
2	6	3	9	5	8	1	7	4
7	8	4	1	2	6	9	5	3

Jeu de lettres

Trouvez les mots de 4 lettres
qui ont le A en commun et parfois le E.
Les cases grisées représentent la même lettre.

	A		E
	A		E
	A		E
	A		E
	A		E

	A		
	A		E
	A		
	A		
	A		

17
JANVIER
8h38 17h24
Ste Roseline

TATE
TAPE
DATE
RATE
TARE

TARD
DATE
TAUX
PART
RAPT

Chiffre

Pourrez-vous résoudre cette opération ?

?	?	?
x		?
4	4	4

18
JANVIER

8h37 17h26

Ste Prisca

148 X 3 = 444

OU

222 X 2

Dédalo

Reliez les paires en vous déplaçant uniquement en lignes horizontales et verticales. Les lignes ne doivent ni se croiser ni se superposer.

4	3				9		1	6	
			7		8				
							2		
					8	9			
		2							
		5						1	
					3			7	
	4	5					6		

19

JANVIER

8h36 17h27

St Marius

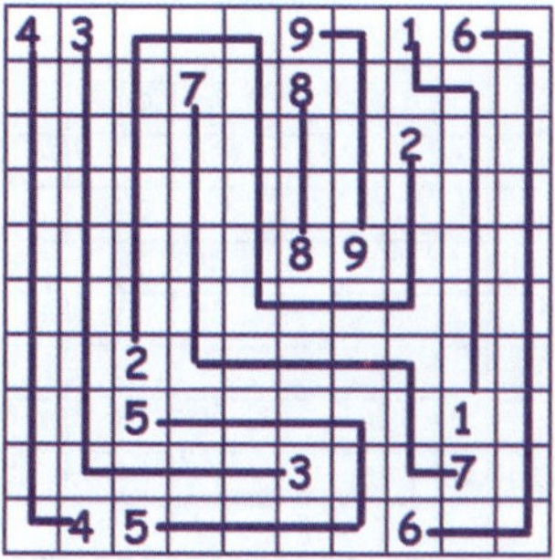
4 3 9 1 6
7 8
2
8 9
2
5 1
3 7
4 5 6

Cases noires

Noircissez 12 cases pour rendre cohérente cette grille de mots croisés.

S	U	R	S	A	T	U	R	E	R
A	T	O	U	T	E	S	U	S	E
P	I	T	R	E	R	I	E	S	T
I	L	R	E	L	A	N	C	A	A
N	I	D	E	E	M	E	R	I	S
I	T	E	M	P	E	R	O	S	U
E	A	N	E	S	S	A	I	M	M
R	I	A	N	T	E	S	T	I	O
E	R	I	E	U	S	E	P	O	U
S	E	N	S	A	T	I	O	N	S

20

JANVIER

8 h 35 17 h 29

St Sébastien

S	U	R	S	A	T	U	R	E	R
A	T	O	U	T	■	S	U	S	E
P	I	T	R	E	R	I	E	S	■
I	L	■	E	L	A	N	■	A	A
N	I	D	■	E	M	E	R	I	S
I	T	E	M	■	E	R	O	S	■
E	A	N	E	S	■	A	I	■	M
R	I	A	N	T	E	S	■	I	O
E	R	I	E	■	S	■	P	O	U
S	E	N	S	A	T	I	O	N	S

Jeu de position

Suivez les consignes pour retrouver l'étoile recherchée.

	1	2	3	4	5	6	7	8	9
A	A	*	1	*	C	*	2	*	6
B	*	3	*	H	*	E	*	A	*
C	I	*	4	*	G	*	4	*	9
D	*	J	*	8	*	5	*	L	*
E	5	*	Z	*	R	*	M	*	8
F	*	U	*	1	*	Z	*	7	*
G	W	*	8	*	Y	*	1	*	7
H	*	G	*	3	*	H	*	9	*
I	5	*	E	*	2	*	I	*	Q
J	*	2	*	E	*	6	*	S	*

1) En dessous d'un chiffre pair

2) Au-dessus d'une voyelle

3) À droite d'une consonne

4) À gauche d'un chiffre impair

21

JANVIER

8h34 17h30

Ste Agnès

H 3

Quiz

Qu'est-ce qu'une émission de télé-crochet ?

A - Un concours de chefs cuisiniers
B - Un concours de chant
C - Une émission sur la mode

22
JANVIER

8 h 33 17 h 32

St Vincent

B - Un concours de chant à la télévision (ex : The Voice, Nouvelle Star, etc.)

Téte à queue

À chaque mot il manque une lettre, soit celle du début, soit celle de la fin. Une fois la grille remplie, un dernier mot apparaîtra dans la rangée fléchée.

					U	L	V	E
P	A	T	I					
					A	S	S	O
H	A	B	I					
					G	L	O	U
S	E	I	N					
					T	A	N	G

23

JANVIER

8h32 17h33

St Barnard

VULVE
PATIO
LASSO
HABIT
IGLOU
SEING
ÉTANG

ce qui donne :
VOLTIGE

Lettre de plus

Il faut, à chaque ligne, ajouter une lettre au mot précédent pour en former un nouveau. Dans un premier temps, essayez de faire ce jeu sans vous servir des définitions.

I	
	Dedans
	Sorte de laurier
	Refus russe
	Métal
	Mélangé
	Adorante
	Nourrit
	Plaignait (se)
M A T U T I N A L E	

24

JANVIER

8h31 17h35

St François de Sales

IN
TIN
NIET
ETAIN
MATINE
AIMANTE
ALIMENTA
LAMENTAIT
MATUTINALE

Lettres absentes

Avec les lettres qui ne figurent pas dans cette grille, formez un ou plusieurs mots.

J	C	F	L	T	C	F	Y	C	F	I
M	Q	S	T	V	W	X	T	J	Y	A
B	I	S	J	K	Z	A	I	J	K	L
M	Q	B	L	M	Q	S	T	K	L	G
H	Z	A	B	T	V	W	X	Y	Z	A
B	C	F	G	X	Y	Z	A	H	I	C
F	G	H	B	G	H	V	W	X	M	Q
V	W	S	S	G	H	I	K	L	M	Q

25

JANVIER

8h30 17h36

Conversion de St Paul

PONDEUR
RÉPONDU

Mots

Trouvez au moins 30 mots en utilisant les lettres mitoyennes

A	B	R	T
S	I	O	U
E	L	N	E

26
JANVIER

8 h 29 17 h 38

Ste Paule, Ste Pauline

ABRI - AIR - AISE - AILE - AINE
ASIE - BOUE - BIO - BIS - BISE
BRISE - BAISÉ - BAS - BAIE
BASE - BAS - BON - BOL - BOISÉ
BRIN - BOIS - BILE - BOUT
BRIN - BROU - BRIE - ÎLE - ÎLOT
LOT - LOI - NOIR - NOISE - TÔLE
TOILE - TOISE - TUNE - TON
TRI - TROIS - TROU - TRÔNE
TOI - TUNIS - ROI - RUE - ROUE
RÔLE - SILO - SEINE - SIR - SEL
SELON - OIE - OISE

Lettres de mon moulin

Avec les vingt-quatre lettres placées autour du moulin, formez six mots de quatre lettres. Une lettre ne peut être utilisée qu'une seule fois et chaque mot doit être composé de quatre lettres différentes.

A	A	E	E	E	E
U					F
T					G
T					I
S					I
S					J
S					M
R	R	R	P	O	N

27

JANVIER

8 h 28 17 h 40

Ste Angèle

FUME
GRÈS
JARS
POTE
SAIN
TIRE

D'autres solutions sont possibles.

Mots en croix

En utilisant une seule fois les 9 lettres proposées, complétez les cases blanches de façon à former trois mots horizontaux qui se croiseront avec trois mots verticaux.

D
E
I
N
N
O
R
R
U

		J	H	R		
		O	E	O		
F	O				I	R
P	A				I	E
M	A				R	E
		A	N	U		
		L	E	R		

28
JANVIER

☀ 8h27 ☀ 17h41

St Thomas d'Aquin

		J	H	R		
		O	E	O		
F	O	U	R	N	I	R
P	A	R	O	D	I	E
M	A	N	I	E	R	E
		A	N	U		
		L	E	R		

Damier

Remplacez judicieusement trois lettres de chacun des deux mots par les six pions, pour former deux nouveaux mots. Un même pion ne peut être utilisé qu'une seule fois.

A	I	L	M	O	T

E	S	C	A	M	O	T	E	R
I	S	O	L	A	T	E	U	R

29
JANVIER

8h25 17h43

St Gildas

ESCALATOR IMITATEUR

D'autres solutions
sont parfois possibles.

Mots détachés

Retrouvez les 14 mots découpés en 3 groupes de 3 lettres. Il restera alors 3 groupes formant un nouveau mot.

EMB	ELE	ION	IVA	USE
OIR	RES	APP	SER	END
HEU	REU	STE	HRE	DUE
JUS	ERV	GAT	TAT	NTA
GLA	IER	ARR	ICE	LAC
TAI	INE	SIE	MAG	TTI
INE	RIE	TIF	GES	BIN
ALL	MAD	LOI	FAN	RES
AGE	SES	NOU	ISE	INE

Le mot découvert est : ....

1....... MAGHRÉBIN
2....... APPENDICE
3....... DUETTISTE
4....... EMBALLAGE
5....... FANTAISIE
6....... GLAISEUSE
7....... JUSTIFIER
8....... LACTATION
9....... LOINTAINE
10....... ARRIVAGES
11....... NOUGATINE
12....... HEUREUSES
13....... RÉSERVOIR
14....... SERRIÈRES

30
JANVIER
8 h 24 17 h 44
Ste Martine

MADELEINE

Sudoku

Complétez la grille de sorte que chaque colonne, ligne ou carré 3x3 contienne une fois tous les chiffres de 1 à 9.

	9				7			
3		6	2		5			8
	2	4			9			1
	6						4	
1	3			2			8	
8		5		7		1	6	
				5		9	1	
		7			6			4

31
JANVIER

8h23 17h46

Ste Marcelle

5	9	8	1	6	7	4	2	3
3	1	6	2	4	5	7	9	8
7	2	4	3	8	9	6	5	1
9	6	2	5	1	8	3	4	7
1	3	7	6	2	4	5	8	9
8	4	5	9	7	3	1	6	2
6	8	9	4	3	1	2	7	5
4	7	3	8	5	2	9	1	6
2	5	1	7	9	6	8	3	4

Sudoku

Complétez la grille de sorte que chaque colonne, ligne ou carré 3x3 contienne une fois tous les chiffres de 1 à 9.

1		7	8					3
					2		6	
5	3	6						
9	6	5						
4		1	3					6
					7		1	
				6		2		
			5		8		7	4
			4		9		3	8

1er

FÉVRIER

8h21 17h48

Ste Ella

1	2	7	8	5	6	4	9	3
8	9	4	7	3	2	5	6	1
5	3	6	9	1	4	7	8	2
9	6	5	2	8	1	3	4	7
4	7	1	3	9	5	8	2	6
2	8	3	6	4	7	9	1	5
7	4	8	1	6	3	2	5	9
3	1	9	5	2	8	6	7	4
6	5	2	4	7	9	1	3	8

Lettres de mon moulin

Formez six mots de quatre lettres avec celles du moulin. Chaque mot doit être composé de quatre lettres différentes. Ex : PÈRE est faux car il comporte deux E. SOIR, lui, est valable.

A	A	E	E	E	E
U					F
U					H
T					H
S					I
S					L
R					M
R	R	P	O	N	N

2

FÉVRIER

8 h 20 — 17 h 49

Présentation du Seigneur

HAUT
HIER
MARS
NEFS
NOËL
PUER

D'autres solutions
sont possibles.

Tête à queue

Complétez chaque mot pour faire apparaître un dernier mot dans la rangée verticale.

					R	O	I	X
P	H	O	N					
					H	U	R	U
C	H	A	M					
					I	E	U	X
C	A	S	E					
					R	A	C	E

3

FÉVRIER

8h19 17h51

St Blaise

CROIX
PHONO
UHURU
CHAMP
LIEUX
CASÉE
TRACE

ce qui donne : COUPLET

Cases noires

Noircissez 15 cases pour rendre cohérente cette grille de mots croisés.

R	E	U	N	I	O	N	P	S	I
I	R	R	E	E	L	U	N	I	D
A	S	E	F	N	I	C	E	D	E
N	E	O	N	A	V	E	T	T	E
T	I	S	E	V	E	N	T	E	S
R	A	P	P	O	R	T	E	R	A
E	P	I	E	R	A	I	D	I	P
T	I	R	E	T	I	A	M	B	E
A	S	E	R	R	E	R	A	I	S
L	I	S	E	U	S	E	S	S	A

4

FÉVRIER

8h17 17h53

Ste Véronique

R	E	U	N	I	O	N		S	I
I	R	R	E	E	L		N	I	D
A	S	E		N	I	C	E		E
N	E		N	A	V	E	T	T	E
T		S	E		E	N	T	E	S
	A	P	P	O	R	T	E	R	
E	P	I	E	R	A	I			P
T	I	R			I	A	M	B	E
A		E	R	R	E	R	A	I	S
L	I	S	E	U	S	E		S	A

Mots en croix

Complétez la grille avec les 9 lettres proposées utilisées une fois, de façon à former trois mots horizontaux et trois mots verticaux.

E E I I M M N P T

		P	S	L		
		O	C	A		
I	M				S	E
P	O				E	R
E	D				U	R
		E	R	R		
		R	E	E		

5

FÉVRIER

8h16 17h54

Ste Agathe

		P	S	L		
		O	C	A		
I	M	M	E	N	S	E
P	O	M	P	I	E	R
E	D	I	T	E	U	R
		E	R	R		
		R	E	E		

Quiz

Parmi les grands noms de la gastronomie française.
une femme se distingue : Anne-Sophie Pic.

Où a-t-elle créé son restaurant
« la maison Pic » ?

A - Lyon

B - Nice

C - Valence

C - À Valence (Drôme)

Jeu de lettres

Dans ces 6 mots, les 4 dernières lettres sont identiques.

B				
C				
G				
F				
I				
P				

7

FÉVRIER

8h13 17h58

Ste Eugénie

BRISE
CRISE
GRISE
FRISE
IRISÉ
PRISE

Sudoku

Complétez la grille de sorte que chaque colonne, ligne ou carré 3x3 contienne une fois tous les chiffres de 1 à 9.

						5		
7				3				8
		3	8	6				
1				4				
	4	6	5	8			1	3
				9	3			4
			2			7		
2						6	8	
							5	

8

FÉVRIER

☀ 8h11 ☀ 17h59

Ste Jacqueline

8	1	9	7	2	4	5	3	6
7	6	5	9	3	1	4	2	8
4	2	3	8	6	5	1	9	7
1	3	8	6	4	2	9	7	5
9	4	6	5	8	7	2	1	3
5	7	2	1	9	3	8	6	4
3	8	1	2	5	6	7	4	9
2	5	4	3	7	9	6	8	1
6	9	7	4	1	8	3	5	2

Carte de visite

Remettez dans le bon ordre les lettres composant le nom d'un personnage célèbre.

Teresa Murdiguar

Écrivain français
(1914-1996)

9
FÉVRIER
8h10 18h01
Ste Apolline

MARGUERITE DURAS

Trombones

Complétez la grille de sorte que chaque colonne, ligne ou carré 3x3 contienne une fois tous les chiffres de 1 à 9.

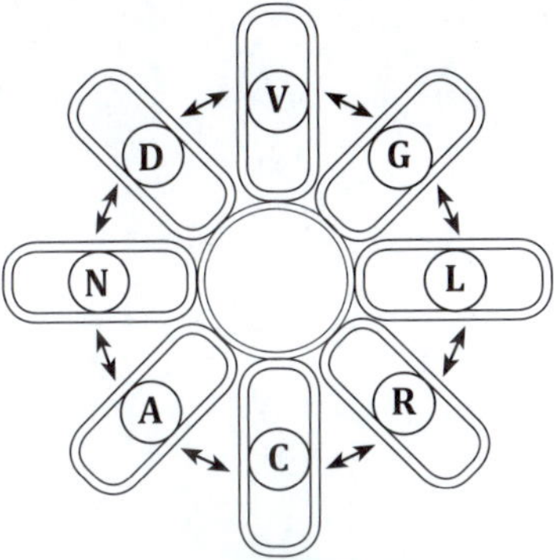

10
FÉVRIER
8h08 18h03
St Arnaud

GRAND

Le boulier

Placez les chiffres sur le boulier en ne les utilisant qu'une seule fois.

0	0	1	1	4	4	4	5	5	6	6	8	9

Année de naissance de Shakespeare ?

Indicatif téléphonique du Royaume-Uni ?

Longueur de la Tamise en kilomètres ?

Année de la bataille de Trafalgar ?

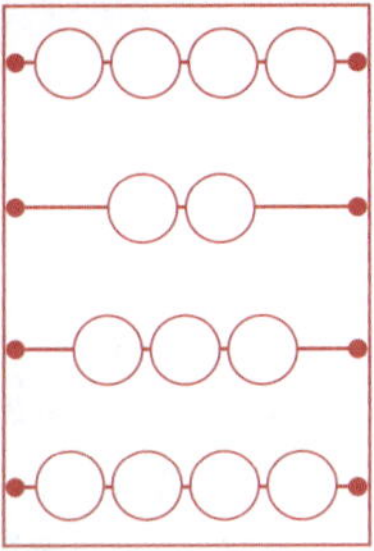

11

FÉVRIER

8h06 18h04

Notre-Dame de Lourdes

1564
44
960
1805

Labyrinthe

Partez de la case 1 et trouvez le chemin
qui vous conduira à la case 2 en formant un mot.
Attention : n'utilisez qu'une seule fois une même lettre.

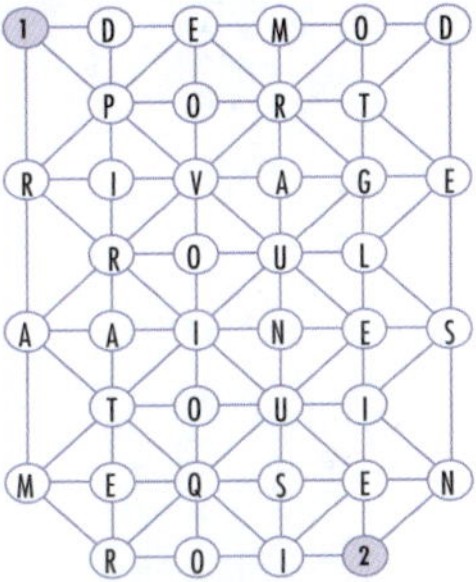

12
FÉVRIER
8h05 18h06
St Félix

RAMEQUIN

Mots en croix

En utilisant, UNE SEULE FOIS, les 9 lettres ci-dessous, vous devez compléter le tableau de façon à former trois mots horizontaux qui se croiseront avec les trois mots verticaux.

E	E	I	I	I	N	R	T	T

		M	C	L		
		E	H	E		
G	A				N	E
A	M				E	S
R	A				R	E
		E	V	R		
		R	E	E		

13

FÉVRIER

8h03 18h08

Ste Béatrice

		M	C	L		
		E	H	E		
G	A	R	E	N	N	E
A	M	I	T	I	E	S
R	A	T	I	E	R	E
		E	V	R		
		R	E	E		

Bonne addition

Placez judicieusement les huit chiffres pour résoudre toutes les additions.

1 2
3 4
5 6
8 9

○	+	○	+	○	=	11
+		+		+		
○	+	7	+	○	=	15
+		+		+		
○	+	○	+	○	=	19
=		=		=		
11		17		17		

Plusieurs solutions sont parfois possibles.

14
FÉVRIER
8h01 18h09
St Valentin

4	1	6
5	7	3
2	9	8

Bonne orthographe

Des trois mots, lequel est bien orthographié ?

1) PRAGOIS
2) PRAGEOIS
3) PRAGUOIS

(Habitant de Prague)

15
FÉVRIER

8h00 18h11

St Claude

1 ou 3
PRAGOIS ou PRAGUOIS

Téte à queue

À chaque mot il manque une lettre, soit celle du début, soit celle de la fin. Une fois la grille remplie, un dernier mot apparaîtra dans la rangée fléchée.

					I	G	L	E
G	A	L	O					
					U	A	T	E
M	A	L	U					
					R	E	V	E
V	O	U	T					
					U	R	A	L

16

FÉVRIER

7h58 18h12

Ste Lucile

AIGLE
GALOP
OUATE
MALUS
TRÊVE
VOÛTE
RURAL

ce qui donne :
APOSTER

Chiffre

Placez les 4 signes entre les chiffres
pour obtenir le total demandé.

1	6	7	8	9

+	-	x	:

Total à trouver : 71

17
FÉVRIER

☀ 7h56 ☀ 18h14

St Alexis

8 : 1 X 9 + 6 - 7

Chemin des mots

Placez les neuf lettres proposées dans les cases blanches pour former huit mots de cinq lettres dans le sens des flèches.

D E N O R S T V X

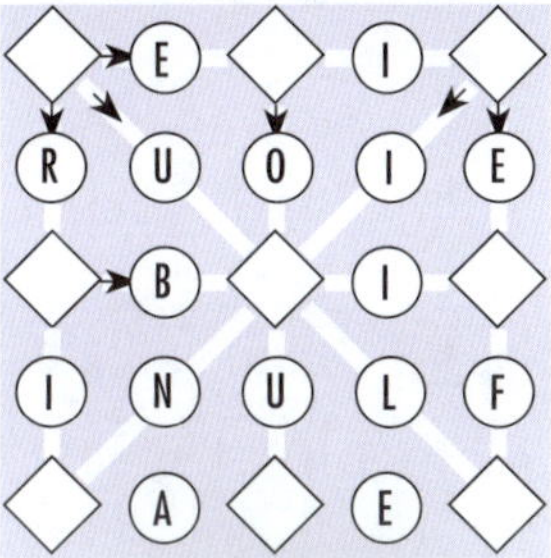

18

FÉVRIER

7h54 18h16

Ste Bernadette

D	E	V	I	N
R	U	O	I	E
O	B	E	I	R
I	N	U	L	F
T	A	X	E	S

Sudoku

Complétez la grille de sorte que chaque colonne, ligne ou carré 3x3 contienne une fois tous les chiffres de 1 à 9.

9		2	8	5			6	
	8					5		
								8
4				2	5		3	
2				6				9
		6			9		2	
		3						
8			4		6		5	7
	9					1		

19

FÉVRIER

7h53 18h17

St Gabin

9	1	2	8	5	7	3	6	4
3	8	7	6	4	2	5	9	1
5	6	4	9	1	3	2	7	8
4	7	9	1	2	5	9	3	6
2	5	8	3	6	4	7	1	9
1	3	6	7	8	9	4	2	5
7	4	3	5	9	1	6	8	2
8	2	1	4	3	6	9	5	7
6	9	5	2	7	8	1	4	3

Labyrinthe

Partez de la case A et trouvez le chemin qui vous conduira à la case Z en totalisant 28 points. Attention : le chemin à emprunter ne doit utiliser qu'une seule fois un même chiffre.

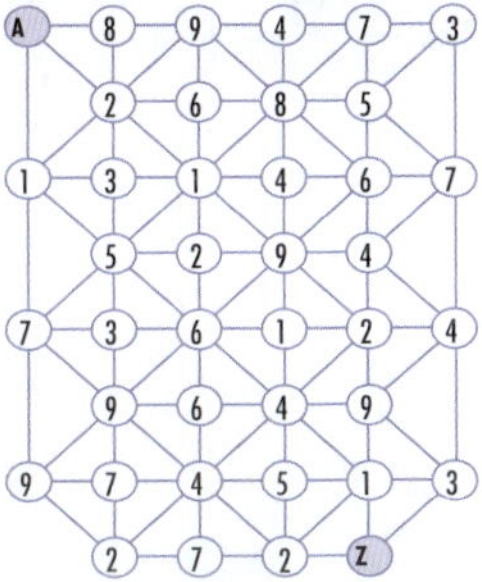

20

FÉVRIER

7h51 18h19

Ste Aimée

1 - 7 - 3 - 6 - 4 - 5 - 2

Les dés

Replacez ces dés dans le bon ordre pour totaliser 16 horizontalement et verticalement.

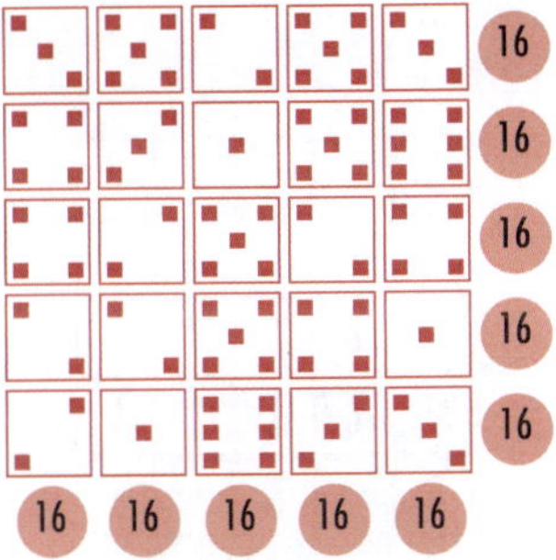

21
FÉVRIER
7h49 18h21
St Pierre-Damien

1	5	2	5	3
4	3	1	2	6
4	2	5	2	3
5	4	2	4	1
2	2	6	3	3

Damier

Remplacez judicieusement trois lettres de chacun des deux mots par les six pions, pour former deux nouveaux mots. Un même pion ne peut être utilisé qu'une seule fois.

A	B	C	T	T	T

M	A	R	Q	U	E	U	S	E
P	R	E	S	S	U	R	E	S

22
FÉVRIER
7h47 18h22
Ste Isabelle

BARQUETTE
CRÉATURES

D'autres solutions
sont parfois possibles.

Faites vos comptes

Complétez cette grille de mots croisés, sachant que chaque lettre a une valeur en points et que le total de chaque mot est donné.

Le mot : ROUTE figure dans la grille.

E = 1	P = 6
G = 2	R = 7
I = 3	S = 8
L = 4	T = 9
O = 5	U = 10

	24	22	26	11	21	
18			I			
32						
9						
15	O		E	■		4
35						
				9		

23
FÉVRIER
☀ 7h45 ☀ 18h24
St Lazare

E	P	I	E	R
R	O	U	T	E
G	E	L	E	E
O	T	E		L
T	E	S	T	S

Galerie

Complétez les noms en barrant les lettres dans la grille du bas. Les lettres restantes, lues dans l'ordre, vous donneront un dernier mot.

Thème : cinéma

B	A		D			■			B	I	N			N
B				O	N		O	■	B		I	A		
D			A		I	S	■		U		P	E	R	
B		N	N	A	I			■		A	N		I	N
N		I	R			■		I	G	N	O		E	

O	T	D	L	M	G	M	R	L	Z	A	S
O	P	B	H	R	O	E	R	T	I	Y	T
L	R	E	R	E	V	E	N	O	T	O	S

24
FÉVRIER
☀ 7h43 ☀ 18h25
St Modeste

BARDOT
ROBINSON
BELMONDO
BRIALY
DEMAZIS
HUPPERT
BONNAIRE
LANVIN
NOIRET
SIGNORET

ce qui donne :
GABIN

Mots en croix

En utilisant, UNE SEULE FOIS, les 9 lettres ci-dessous, vous devez compléter le tableau de façon à former trois mots horizontaux qui se croiseront avec les trois mots verticaux.

A	I	N	O	Q	T	T	U	U

		C	B	P		
		A	O	E		
M	I				I	E
C	H				N	S
L	I				D	E
		U	R	R		
		E	E	E		

25
FÉVRIER

7h41 18h27

St Roméo

		C	B	P		
		A	O	E		
M	I	N	U	T	I	E
C	H	A	T	O	N	S
L	I	Q	U	I	D	E
		U	R	R		
		E	E	E		

Horloge

Retrouvez le titre en remplaçant les heures et minutes par les lettres correspondantes.

Thème : citation de Jean Cocteau (1889-1963)

8h25
11h45
1h05
5h15
8h30
5h55
4h35

8h00
11h00
6h40
3h25
12h55
12h10

26
FÉVRIER

7h39 18h29

St Nestor

LE SOMMEIL N'EST PLUS UN LIEU SÛR

Cases noires

Noircissez 14 cases pour rendre cohérente cette grille de mots croisés.

T	O	U	L	O	N	N	A	I	S
O	U	T	I	L	I	O	N	L	I
U	R	I	N	E	S	C	A	L	E
L	B	L	E	T	E	S	S	E	S
O	B	E	R	E	R	A	S	O	T
U	L	M	U	R	I	R	E	N	E
S	A	E	N	R	E	D	A	M	R
A	N	N	E	E	F	E	U	E	S
I	C	T	E	R	E	S	I	R	E
N	I	E	S	A	S	B	L	E	T

27

FÉVRIER

7 h 37 18 h 30

Ste Honorine

T	O	U	L	O	N	N	A	I	S
O	U	T	I	L	■	O	■	L	I
U	R	I	N	E	S	■	A	L	E
L	■	L	E	■	E	S	S	E	S
O	B	E	R	E	R	A	S	■	T
U	L	M	■	R	I	R	E	■	E
S	A	E	N	R	E	D	A	M	■
A	N	N	E	E	■	E	U	E	S
I	C	T	E	R	E	S	■	R	E
N	■	■	S	A	S	■	L	E	T

Quatre coins

Les quatre mots sont formés de 4 lettres.
Une de chaque groupe. Les lettres du groupe 1 seront placées dans la première colonne, et ainsi de suite.

Groupe 1	Groupe 2	Groupe 3	Groupe 4
E M O Y	I I A T	C I O S	C M K S

1	2	3	4

28
FÉVRIER

7h36 18h32

St Romain

ÉTOC
MISS
OLIM
YACK

D'autres solutions
sont parfois possibles.

Damier

Remplacez judicieusement trois lettres de chacun des deux mots par les six pions, pour former 2 nouveaux mots.
Un même pion ne peut être utilisé qu'une seule fois.

E	F	K	R	U	X

H	A	B	I	L	L	A	G	E
P	L	A	F	O	N	N	E	S

1er
MARS
7h34 18h33
St Aubin

FEUILLAGE
KLAXONNER

D'autres solutions
sont parfois possibles.

Quiz

Au football, à quelle distance de la ligne de but est placé le point de penalty ?

- à 7 mètres
- à 11 mètres
- à 15 mètres

2
MARS

7h32 18h35

St Charles le Bon

à 11 mètres

Mots détachés

Retrouvez les 14 mots découpés en 3 groupes de 3 lettres.
Il restera alors 3 groupes formant un nouveau mot.

AME	DES	SIL	EUR	TAI
NER	TAB	ANT	RAS	LES
INE	ILL	NIS	ISI	SSI
NDE	EXT	NIT	TUS	CAR
SAM	FFA	ANI	BLE	ERC
ERE	BRA	EVE	PON	BLE
NES	HAR	ENL	AGO	ERI
SGR	ITE	AFF	HES	AGE
RAS	ENC	FON	LER	OUC

1....... AGONISANT
2....... AMENDERAS
3....... BRASSIÈRE
4....... CARTABLES
5....... ENCERCLER
6....... ENLÈVERAS
7....... FONTAINES
8....... HARPONNER
9....... ILLISIBLE
10....... INEFFABLE
11....... NITOUCHES
12....... SAMANIDES
13....... SGRAFFITE
14....... TUSSILAGE

Le mot découvert est : ....

3
MARS

☀ 7h30 ☀ 18h37

St Guénolé

EXTÉRIEUR

Quatre coins

Les quatre mots sont formés de 4 lettres, une de chaque groupe. Les lettres du groupe 1 seront placées dans la première colonne, et ainsi de suite.

1	2	3	4

1

A B
D P

2

A E
I U

3

F I
M N

4

A E
I S

4
MARS
7 h 28 18 h 38
St Casimir

AINE
BAIS
DÉFI
PUMA

D'autres solutions
sont parfois possibles.

Mots en croix

En utilisant une fois les 9 lettres proposées, complétez les cases blanches de façon à former 3 mots horizontaux qui se croiseront avec 3 mots verticaux.

E
I
I
I
L
L
R
R
U

		P	G	T		
		L	O	U		
U	S				E	R
M	O				L	E
F	R				U	X
		E	L	A		
		L	E	U		

5
MARS

7 h 26 18 h 40

Ste Olive

		P	G	T		
		L	O	U		
U	S	U	R	I	E	R
M	O	R	I	L	L	E
F	R	I	L	E	U	X
		E	L	A		
		L	E	U		

Grille 8x3

Complétez les cases blanches en utilisant tous les chiffres en-dessous. Attention : le total doit être identique dans chaque colonne.

	9			5	3		6
2		2	8		3	8	7
5	1		4	3		1	

1	2	3	4	5	6	7	8	9

6

MARS

7h24 18h41

Ste Colette

LE TOTAL EST DE 14

Pyramide

Avec les 9 lettres données, formez six mots qui s'inscriront sur la pyramide, dont deux dans le sens des flèches. Certaines lettres sont déjà à la bonne place dans le jeu.

E	G	I	N	N	O	S	S	U

	N			
	A	I		
	L	E	I	

7

MARS

7h22 18h43

Ste Félicité

G
UN
INO
SAIN
ELEIS
GUISE
GNONS

Il peut y avoir
d'autres possibilités.

Cinq sur douze

Les 25 lettres permettent d'écrire 5 mots de la liste. Lesquels ?
Chaque lettre ne doit être utilisée qu'une fois.

E	V	V	U	L
U	T	T	T	R
U	R	J	O	T
B	E	O	E	E
E	A	A	A	T

BELON
BRUNE
BRUTE
COUDE
EPATE
FLIRT
FUSEE
JATTE
MONDE
OUATE
OUTRE
VALVE

8

MARS

7h19 18h44

St Jean de Dieu

BRUTE
JATTE
OUATE
OUTRE
VALVE

D'autres solutions sont parfois possibles.

Lettre de plus

Il faut, à chaque ligne, ajouter une lettre au mot précédent pour en former un nouveau. Dans un premier temps, essayez de faire ce jeu sans vous servir des définitions.

T	
□□	Sainte abréviation
□□□	Idiot
□□□□	Récipients
□□□□□	Pour s'entretenir
□□□□□□	Soulèves
□□□□□□□	Groupe de vers
□□□□□□□□	Victoires
P R O P H E T E S	

9

MARS

7h17 18h46

Ste Françoise

ST
SOT
POTS
SPORT
PORTES
STROPHE
TROPHÉES

Addition

Complétez le tableau avec les chiffres proposés de façon à ce que les additions soient justes.

1	2	3	4	5	7	8	9

	+	6	+		=	18
+		+		+		
	+		+		=	9
+		+		+		
	+		+		=	19
=		=		=		
14		16		15		

10

MARS

7h15 18h48

St Vivien

9	6	3
1	2	5
4	8	7

Lettres absentes

Avec les lettres qui ne figurent pas dans cette grille, formez un ou plusieurs mots.

U	B	O	I	S	C	H	J	X	F	Q
G	V	W	H	J	X	M	Z	F	Q	G
F	Z	G	S	Y	K	Z	C	K	M	Z
O	M	Z	Y	X	V	M	I	U	Q	V
C	O	I	K	M	S	J	X	M	H	C
W	D	B	K	W	H	D	O	W	X	B
K	C	F	Q	U	F	J	G	D	Q	G
V	B	C	I	S	H	F	H	J	Y	K

11

MARS

7h13 18h49

Ste Rosine

PLANTER

Dédalo

Reliez les paires en vous déplaçant uniquement en lignes horizontales et verticales. Les lignes ne doivent ni se croiser ni se superposer.

	2				7	6	9		9
					8		3		
				6			7		
			5			5	8		
								4	
		1						1	
							4	2	
									3

12

MARS

7h11 18h51

Ste Justine

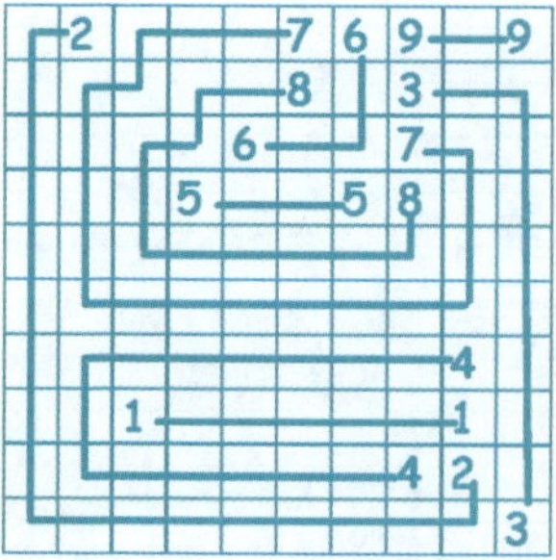
2 7 6 9 9
8 3
6 7
5 5 8
4
1 1
4 2
3

Échelle

Complétez la grille avec les lettes proposées de façon à composer 5 mots horizontaux et 2 mots verticaux.

A	D	D	E	I	L	M	N	R	U

↓			↓
	O	R	
	N	I	
	A	J	
	A	I	
	V	R	

13
MARS

7h09 18h52

St Rodrigue

L	O	R	D
U	N	I	R
N	A	J	A
D	A	I	M
I	V	R	E

Horloge

Retrouvez le nom ou l'expression en remplaçant les heures et minutes par les lettres correspondantes.

Thème : titre d'une chanson

1 h 20
10 h 25
3 h 35
5 h 10
8 h 00
11 h 25
10 h 20
7 h 45

14
MARS
7 h 07 18 h 54
Ste Mathilde

LE BON ROI DAGOBERT

Hexaboules

Placez, dans le jeu, les six mots de quatre lettres.

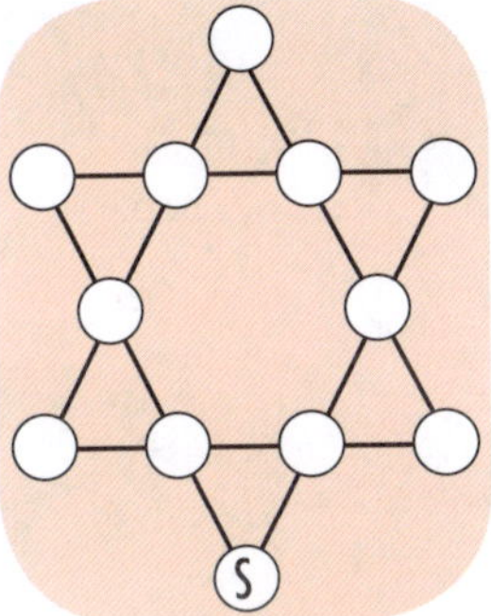

NEFS
PAIN
PART
PIES
PRIS
TIFS

15
MARS
7h05 18h55
Ste Louise

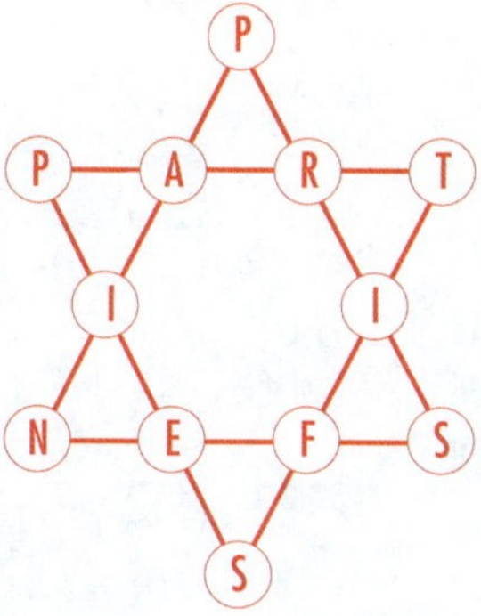
P
P
A
R
T
I
I
N
E
F
S
S

Mots

Trouvez au moins 30 mots de 3 lettres minimum en utilisant des lettres mitoyennes en vertical, horizontal ou diagonal. (Ex. : TORSE)

P	E	R	O
O	S	T	E
H	A	N	U
C	I	R	T

16
MARS

7h03 18h57

Ste Bénédicte

TORSE - POSER - POSANT - CHATS - CHAS - CHANTER - ROTE - ROTANT - SERT - UNE - CIRANT - RIANT - IRAS - OSANT - POSTER - POSTANT - PESTE - PESTANT - PÈRE - CHINER - TRICHANT - TRIAS - TRIANT - TRAINS - TRAÎNER - PÉTER - PÉTANT - RUER - RATER - PERTE - HASE - CHASTE - RÉUNI - ORES - NICHAS - NETS - SANTÉ - CANTER - CASER...

Galerie

Complétez les noms du sujet proposé en barrant les lettres dans la grille du bas. Puis avec, les lettres restantes, découvrez un dernier mot.

Thème : cinéma

A			A		I	■	S	E			A	U		
	E	B	B	O			E	■	A	R		A		T
D	E		E			E	■		L		V	I	E	
	U	P	O		T	E		■		A	N	E		■
D		J			D	I		■	C	A			E	

U	D	C	J	R	A	N	A	L	R	N	T
S	T	R	I	L	N	C	M	U	V	N	D
U	D	R	A	E	D	E	S	N	N	Z	L

17

MARS

7h01 18h58

St Patrick

ADJANI
SERRAULT
DEBBOUZE
ARDANT
DENEUVE
CLAVIER
DUPONTEL
CANET
DUJARDIN
CASSEL

ce qui donne :
AIMÉE

Deux pour un

En utilisant toutes les lettres des deux mots de chaque rangée horizontale, formez un nouveau mot. Ensuite, avec les lettres des cases colorées lues dans l'ordre, découvrez un dernier mot.

C	O	M	A	+	P	R	E	S
=								
L	A	M	A	+	F	E	N	D
=								
R	E	N	D	+	C	I	R	E
=								
F	R	I	C	+	S	A	N	A
=								

18

MARS

6h59 19h00

St Cyrille

COMPARSE
FLAMANDE
CENDRIER
FRANÇAIS

ce qui donne :
PARC

Tête à queue

À chaque mot il manque une lettre, soit celle du début, soit celle de la fin. Une fois la grille remplie, un dernier mot apparaîtra dans la rangée fléchée.

					O	M	M	E
V	O	Y	O					
					U	T	I	N
U	R	U	B					
					I	C	O	U
L	U	B	I					
					U	G	I	R

19

MARS

6h57 19h01

St Joseph

HOMME
VOYOU
LUTIN
URUBU
LICOU
LUBIE
RUGIR

ce qui donne :
HULULER

Des dés

Replacez ces dés dans le bon ordre pour totaliser 25.

20

MARS

6h55 19h03

Printemps • St Herbert

6	5	6	5	3
5	4	6	5	5
4	6	3	6	6
6	6	4	4	5
4	4	6	5	6

Labyrinthe

Partez de la case 1 et trouvez le chemin qui vous conduira à la case 2 en formant un mot. Attention : n'utiliser qu'une seule fois une même lettre.

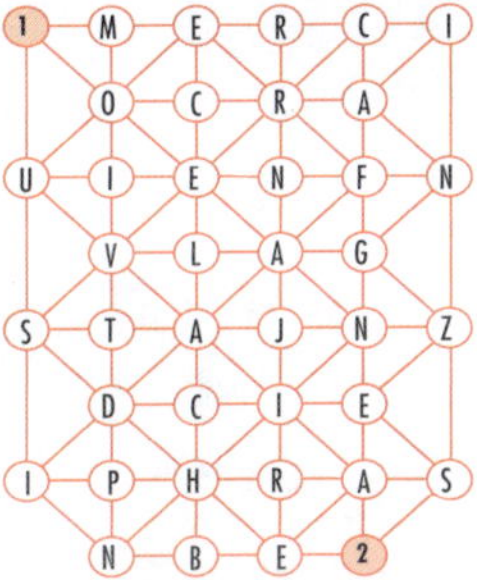

21
MARS
6h52 19h04
Ste Clémence

MOUSTACHE

Cases noires

Noircissez 17 cases pour rendre cohérente cette grille de mots croisés.

S	E	N	T	I	N	E	L	L	E
E	P	I	E	R	E	T	O	U	R
N	I	V	E	A	U	X	U	N	E
E	L	E	I	S	L	A	V	E	C
G	E	L	E	A	M	I	E	S	E
A	S	E	R	V	A	N	T	A	S
L	E	U	R	T	I	C	A	N	T
A	P	R	E	V	R	A	I	E	S
I	L	S	N	O	E	I	L	L	E
S	I	L	U	R	E	D	E	U	X

22

MARS

6h50 19h06

Ste Léa

S	E	N	T	I	N	E	L	L	E
E	P	I	E	R	■	T	O	U	R
N	I	V	E	A	U	■	U	N	E
E	■	E	■	S	L	A	V	E	■
G	E	L	E	■	M	I	E	■	E
A	S	E	R	■	A	■	■	A	S
L	■	U	R	T	I	C	A	N	T
A	P	R	E	■	R	A	I	E	■
I	L	S	■	O	E	I	L	■	E
S	I	■	U	R	■	D	E	U	X

Carré magique

N'utilisez qu'une seule fois tous les chiffres compris entre 3 et 27 pour obtenir les totaux placés autour de la grille.

	75	75	75	75	75
75	4				
75					
75					
75					
75				20	

↗ 75 ↖ 75

23

MARS

6h48 19h07

St Victorien

4	10	25	12	24
17	16	11	22	9
27	23	15	7	3
21	8	19	14	13
6	18	5	20	26

Quiz

Que signifie éponyme ?

A - Épouvantable
B - Relatif à une épopée
C - Qui donne son nom à

24
MARS

6h46 19h09

Ste Catherine de Suède

C - Qui donne son nom à

Quatre coins

Les quatre mots sont formés de 4 lettres, une de chaque groupe. Les lettres du groupe 1 seront placées dans la première colonne, et ainsi de suite.

1: E L N R

2: A O T U

3: A L S T

4: E O S T

1	2	3	4

25

MARS

6h44 19h10

St Humbert

ÉTAT
LOTO
NULS
RASE

D'autres solutions
sont parfois possibles.

Bonne orthographe

Des trois mots, lequel est bien orthographié ?

1) YTTRIUM
2) YTRIUM
3) YTHRIUM

(Métal du groupe des terres rares)

26
MARS

☀ 6h42 ☀ 19h12

Ste Larissa

1
YTTRIUM

Bonne addition

Placez judicieusement les huit chiffres pour résoudre toutes les additions.

1	2	9	+		+		= 17
3	4	+		+		+	
5	6		+		+		= 13
7	8	+		+		+	
			+		+		= 15
		=		=		=	
		19		15		11	

Plusieurs solutions sont parfois possibles.

27

MARS

6h40 19h13

St Habib

9	5	3
4	2	7
6	8	1

Sudoku

Complétez la grille de sorte que chaque colonne, Chaque ligne et chaque carré 3x3 contienne une seule fois tous les chiffres de 1 à 9.

2							9	
						1		3
	8	7						
9					8	3		5
	5				7			6
4			2			8		
	9		7					4
	6	4	9				5	
		2			5		8	

28

MARS

6h38 19h15

St Gontran

2	3	1	5	6	4	7	9	8
5	4	9	8	7	2	1	6	3
6	8	7	1	3	9	5	4	2
9	2	6	4	1	8	3	7	5
1	5	8	3	9	7	4	2	6
4	7	3	2	5	6	8	1	9
8	9	5	7	2	1	6	3	4
7	6	4	9	8	3	2	5	1
3	1	2	6	4	5	9	8	7

À votre avis ?

Quel nom commun vient logiquement s'intercaler entre les deux mots cités dans les pages d'un dictionnaire ?

COLÉGATAIRE

□□□□□□□□□□

COLÈRE

29

MARS

7h36 20h16

Ste Gladys

COLÉOPTÈRE

Trombones

En éliminant trois trombones, sans changer l'ordre des autres, vous découvrirez un mot de cinq lettres.

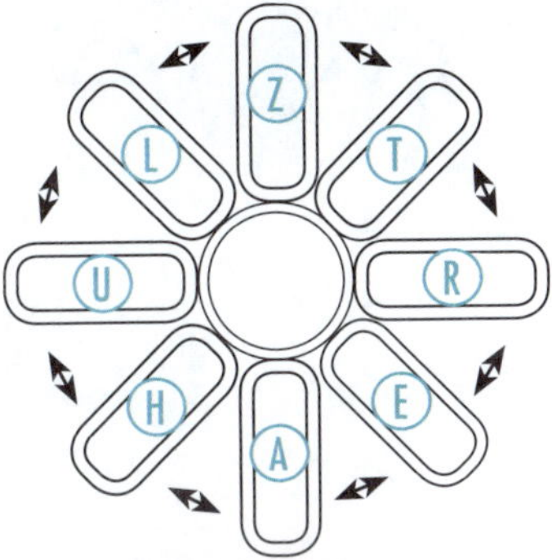

30
MARS
7h33 20h18
St Amédée

ULTRA

Carré magique

N'utilisez qu'une seule fois tous les chiffres compris entre 19 et 27 pour obtenir les totaux placés autour de la grille.

69 ↘	69	69	69	↙ 69
69				
69	21			
69				

31

MARS

☀ 7h31 ☀ 20h19

St Benjamin

22	27	20
21	23	25
26	19	24

Quatre coins

Les quatre mots sont formés de 4 lettres, une de chaque groupe. Les lettres du groupe 1 seront placées dans la première colonne, et ainsi de suite.

1	2	3	4

Groupe 1 : I N T U

Groupe 2 : A I N S

Groupe 3 : D E I L

Groupe 4 : E N R T

1er

AVRIL

7h29 20h21

St Hugues

INDE
NAIN
TILT
USER

D'autres solutions
sont parfois possibles.

Kakuro

Utilisez les chiffres de 1 à 9 sur chaque ligne et colonne. La somme dans la case colorée représente le total des chiffres de la rangée correspondante.

	26	21	14			9	8	37	17
21		9		17 \ 21					
26	5				10 \ 29				2
4			15 \ 12				15 \ 3		
31		2				10 \ 23		3	
		18	4	20 \ 16					23
	17 \ 11	1			5		16 \ 21		
7			26 \ 16				6	6	9
26	6				18	2			
24				6		12			

2

AVRIL

7h27 20h22

Ste Sandrine

4	9	8		2	3	5	6	1
5	7	6	8		1	3	4	2
1	3		4	6	5		7	8
7	2	5	9	8		1	3	6
9		4		3	7	2	8	
	1	3	2	5	6		9	7
3	4		5	7	8	6		9
6	8	9	3		2	7	5	4
2	5	7	6	4		8	1	3

Mots détachés

Retrouvez les 14 mots découpés en 3 groupes de 3 lettres.
Il restera alors 3 groupes formant un nouveau mot.

INT	ERT	DEC	SSE	SER
LER	OUT	SSA	IVA	ARR
EMI	ION	QUA	BRA	NOS
ENT	ULE	VEH	IRE	EAU
ARD	TRI	ESS	GIE	ERI
PER	AGR	ABA	PRE	ION
EME	EXT	TAC	SOU	ICU
RDI	RIE	EUR	CUL	VER
GES	OUV	TEN	OLO	INS

1....... ABASOURDI
2....... ARRIVAGES
3....... BRASSERIE
4....... DÉCOUVERT
5....... ÉMISSAIRE
6....... EXTÉRIEUR
7....... INSCULPER
8....... INTENTION
9....... NOSOLOGIE
10....... OUTARDEAU
11....... PRÉSERVER
12....... QUATRIÈME
13....... TENTACULE
14....... VÉHICULER

Le mot découvert est : ....

3

AVRIL

7 h 25 20 h 24

St Richard

AGRESSION

Pyramide

Avec les neuf lettres données, formez six mots qui s'inscriront sur la pyramide, dont deux dans le sens des flèches. Certaines lettres sont déjà à la bonne place dans le jeu.

E	E	H	I	N	O	R	T	V

	A			
	D	I		
	H	U	M	

4

AVRIL

7h23 20h25

Pâques • St Isidore

H
IO
VAN
ÉDIT
RHUME
HIVER
HONTE

Il peut y avoir
d'autres possibilités.

Mots en croix

En utilisant une fois les 9 lettres proposées, complétez les cases blanches pour former 3 mots horizontaux qui se croiseront avec 3 mots verticaux.

E
E
I
L
O
R
S
T
T

		A	G	M		
		L	E	A		
E	N				S	E
G	U				E	S
R	O				R	S
		S	E	A		
		E	R	U		

5

AVRIL

7h21 20h27

Lundi de Pâques • Ste Irène

		A	G	M		
		L	E	A		
E	N	T	O	R	S	E
G	U	E	L	T	E	S
R	O	S	I	E	R	S
		S	E	A		
		E	R	U		

Lettres de mon moulin

En utilisant toutes les lettres du jeu, vous devez découvrir et placer six mots de quatre lettres.

A	A	A	A	C	D
X					D
V					E
V					E
T					I
T					I
S					I
S	R	O	N	N	M

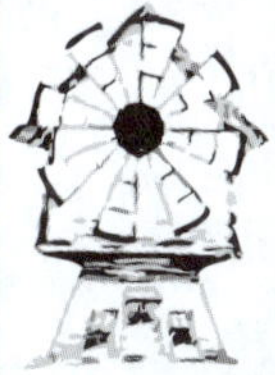

6
AVRIL
7 h 19 20 h 28
St Célestin

AVEC
DAIS
MAIS
NORD
VENT
TAXI

D'autres solutions sont possibles.

Sudoku

Complétez la grille de sorte que chaque colonne, chaque ligne et chaque carré 3x3 contienne une seule fois tous les chiffres de 1 à 9.

2	7	3			4	6		
			2	3				
							2	5
	3							
	9		1		6			4
8		4		5				7
	4							
	2		9			4		8
6		1	7				5	

7

AVRIL

7h17 20h30

St Jean-Baptiste de La Salle

2	7	3	5	1	4	6	8	9
9	5	6	2	3	8	7	4	1
4	1	8	6	9	7	3	2	5
1	3	7	4	8	2	5	9	6
5	9	2	1	7	6	8	3	4
8	6	4	3	5	9	2	1	7
7	4	9	8	2	5	1	6	3
3	2	5	9	6	1	4	7	8
6	8	1	7	4	3	9	5	2

CINQ SUR DOUZE

Les 25 lettres permettent d'écrire 5 mots de la liste. Lesquels ?
Chaque lettre ne doit être utilisée qu'une fois.

S	R	E	N	O
S	P	I	E	M
F	T	I	E	F
L	A	E	I	S
U	O	E	V	N

AINSI
COTER
DOUER
EFFET
ENVIE
INDRE
ORMES
POULS
SEMEE
SERAS
TARTE
URNES

8
AVRIL
7h15 20h31
Ste Julie

AINSI
EFFET
ENVIE
ORMES
POULS

D'autres solutions sont parfois possibles.

Lettre de plus

Il faut à chaque ligne, ajouter une lettre au mot précédent pour en former un nouveau. Dans un premier temps, essayez de faire ce jeu sans vous servir des définitions.

A	
_ _	Article défini
_ _ _	Liquide
_ _ _ _	Pour serrer
_ _ _ _ _	C'est l'enfer
_ _ _ _ _ _	Ensemble des mâts
_ _ _ _ _ _ _	Pas professionnel
M A R T E A U X	

9

AVRIL

☀ 7 h 13 ☀ 20 h 33

St Gauthier

AU
EAU
ÉTAU
AUTRE
MÂTURE
AMATEUR

Cases noires

Noircissez 15 cases pour rendre cohérente cette grille de mots croisés.

C	A	B	A	R	E	T	C	S	I
A	N	E	S	S	B	E	R	E	T
U	N	E	U	S	E	T	E	L	I
C	E	C	F	I	N	O	T	O	N
H	E	R	E	V	E	P	I	N	E
E	V	E	R	S	E	E	N	O	R
M	C	A	M	E	U	T	E	R	A
A	N	T	I	T	R	A	S	A	I
R	E	P	E	T	E	S	O	I	R
S	O	I	R	O	S	E	L	L	E

10

AVRIL

7h11 20h34

St Fulbert

C	A	B	A	R	E	T		S	I
A	N	E	S		B	E	R	E	T
U	N	E		S	E	T	E		I
C	E		F	I	N		T	O	N
H	E	R	E		E	P	I	N	E
E		E	R	S		E	N		R
M		A	M	E	U	T	E	R	A
A	N		I		R	A	S	A	I
R	E	P	E	T	E	S		I	R
S	O	I	R		S	E	L	L	E

Téte à queue

Complétez chaque mot pour faire apparaître un dernier mot dans la rangée verticale.

					P	U	R	E
P	R	I	E					
					E	V	E	E
P	I	Q	U					
					S	I	N	E
N	O	Y	E					
					O	T	T	E

11

AVRIL

7 h 09 — 20 h 36

St Stanislas

ÉPURE
PRIER
RÊVÉE
PIQUE
USINE
NOYER
SOTTE

ce qui donne :
ERREURS

Dédalo

Reliez les paires en vous déplaçant uniquement en lignes horizontales et verticales. Les lignes ne doivent ni se croiser ni se superposer.

4				12					
	5	6		11				9	
						10		7	10
3						12	9		11
							7		
3				2					
				13		8			8
	6	5			1			1	
4	13				2				

12

AVRIL

7 h 07 20 h 37

St Jules

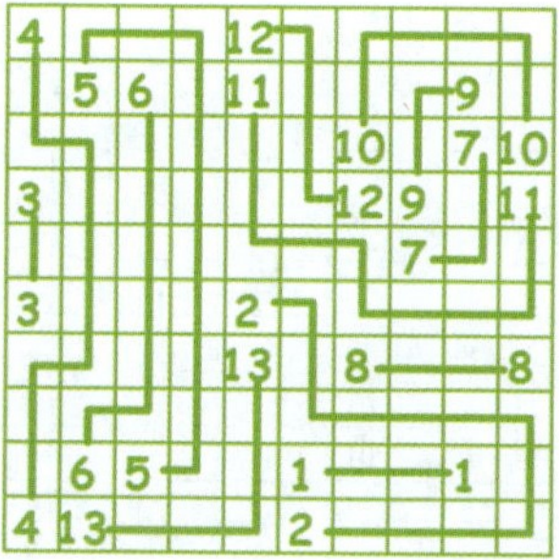

Jeu de lettres

Trouvez 6 mots dont toutes les lettres
sont identiques sauf la première.
De plus les 4e et 5e lettres sont les mêmes.

B					
C					
F					
M					
P					
T					

13
AVRIL
7 h 05 20 h 39
Ste Ida

BALLE
CAILLE
FAILLE
MAILLE
PAILLE
TAILLE

Chiffres

Placez les 4 signes entre les chiffres
pour obtenir le total demandé.

2	5	6	7	9

+	-	x	:

Total à trouver : 25

14
AVRIL

7h03 20h40

St Maxime

6 : 2 X 9 + 5 - 7

Boules de billard

Avec les neuf lettres données, formez six mots qui s'inscriront sur les boules de billard, dans le sens des flèches. Certaines lettres sont déjà à la bonne place dans le jeu.

15

AVRIL

7h01 20h42

St Paterne

B

LA

UNS

FLOT

FLORE

BLUFF

BASTE

Il peut y avoir
d'autres possibilités.

Trombones

En éliminant trois trombones, sans changer l'ordre des autres, vous découvrirez un mot de cinq lettres.

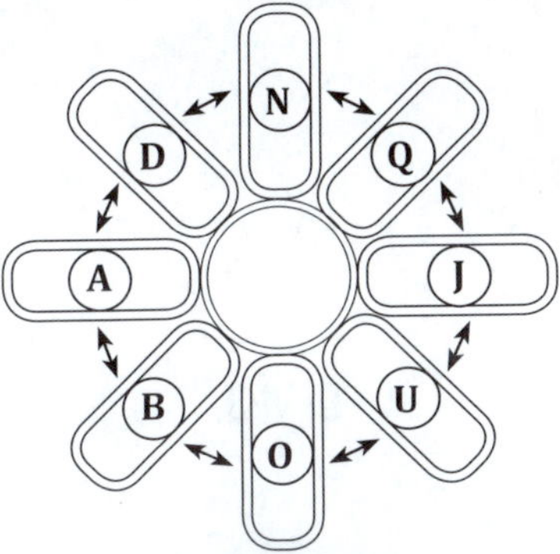

16

AVRIL

6h59 20h43

St Benoît-Joseph

BANJO

À votre avis ?

Quel nom commun vient logiquement s'intercaler entre les deux mots cités dans les pages d'un dictionnaire ?

ACABIT

□□□□□□

ACADÉMICIEN

17

AVRIL

6 h 57 20 h 45

St Anicet

ACACIA

Galerie

Complétez les noms du sujet proposé en barrant les lettres dans la grille du bas. Puis, les lettres restantes, lues dans l'ordre, donneront un dernier mot.

Thème : poissons

R			G	E	T	■	A				E	F		N
S		L			E	■	R				A	S	S	E
M		R			E	■	E			N	O			E
D	O	R			E	■	V	A				I	S	E
	O	N	G		E	■	C		R				I	N

O	O	U	R	A	G	G	L	I	D	E	A
A	I	I	R	P	S	M	S	N	O	H	I
N	U	U	C	A	D	C	R	C	N	S	E

18

AVRIL

☀ 6h55 ☀ 20h46

St Parfait

ROUGET
AIGLEFIN
SILURE
RASCASSE
MURÈNE
ÉPINOCHE
DORADE
VANDOISE
CONGRE
CARASSIN

ce qui donne :
GERMON

VRAI ou FAUX ?

Le canal de Panama, qui traverse tout le pays d'est en ouest, de l'Atlantique au Pacifique, inauguré le 15 août 1914, est le plus long du monde.

19

AVRIL

☀ 6h53 ☀ 20h48

Ste Emma

Faux. Dans l'ordre :

1- Le Grand Canal de Chine : 1997 km

2- Le Canal de Suez : 193 km

3- Le Canal de Panama : 77 km

Dico-test

Il faut découvrir un mot en vous aidant des définitions données. Votre score dépendra du nombre d'indices utilisés.

20/20

Préméditation

****

15/20

Concrétion pierreuse se formant sur les organes

****

10/20

Opération sur des nombres

****

MOT DÉCOUVERT :

....

20

AVRIL

6h51 20h49

Ste Odette

CALCUL

Deux pour un

En utilisant toutes les lettres des deux mots de chaque rangée horizontale, formez un nouveau mot. Ensuite, avec les lettres des cases colorées lues dans l'ordre, découvrez un dernier mot.

O	B	E	I	+	Q	U	E	L
=								
S	A	R	S	+	B	U	R	E
=								
T	A	I	N	+	C	O	I	T
=								
G	N	O	N	+	V	I	R	E
=								

21

AVRIL

6h49 20h51

St Anselme

QUOLIBET
BRASSEUR
CITATION
VIGNERON

ce qui donne :
QUAI

Qui est qui ?

Zeus était le roi des dieux dans la mythologie grecque.
Mais de quoi les quatre ci-dessous étaient-ils dieux ?

ATHENA	BEAUTÉ
ARTEMIS	SAGESSE
APHRODITE	CHASSE
APOLLON	AMOUR

22
AVRIL

6 h 47 20 h 52

St Alexandre

Athena, déesse de la sagesse
Artemis, déesse de la chasse
Aphrodite, déesse de l'amour
Apollon, dieu de la beauté

Labyrinthe

Partez de la case 1 et trouvez le chemin qui vous conduira à la case 2 en formant un mot. Attention : n'utiliser qu'une seule fois une même lettre.

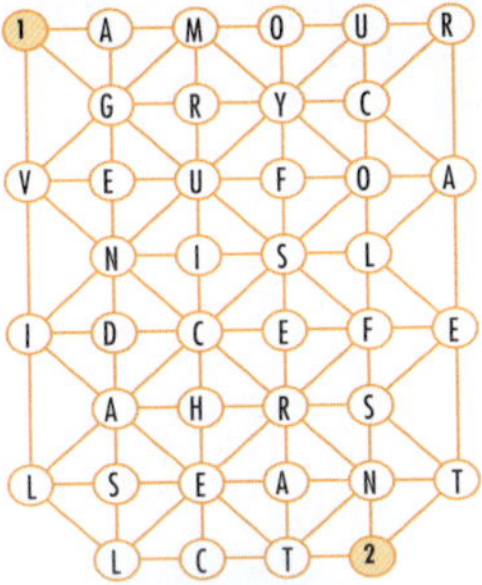

23

AVRIL

6h45 20h54

St Georges

GUICHET

Chemin des mots

N'utilisez qu'une seule fois tous les chiffres compris entre 18 et 26 pour obtenir les totaux placés autour de la grille.

E	E	F	I	I	M	N	R	U

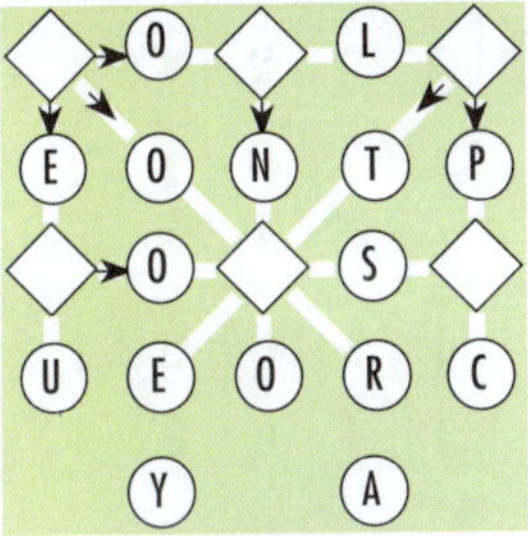

24

AVRIL

6h43 20h55

St Fidèle

F	O	U	L	E
E	O	N	T	P
M	O	I	S	I
U	E	O	R	C
R	A	N	G	E

Mots en croix

En utilisant, UNE SEULE FOIS, les 9 lettres ci-dessous, vous devez compléter le tableau de façon à former trois mots horizontaux qui se croiseront avec les trois mots verticaux.

A	A	I	N	R	R	T	T	T

		F	P	T		
		E	L	A		
T	E				D	S
D	I				R	E
F	U				V	E
		D	E	N		
		S	R	E		

25

AVRIL

6h42 20h57

St Marc

		F	P	T		
		E	L	A		
T	E	T	A	R	D	S
D	I	A	N	T	R	E
F	U	R	T	I	V	E
		D	E	N		
		S	R	E		

Bonne orthographe

Des trois mots, lequel est bien orthographié ?

1) FARAGEAU
2) FARRAGO
3) FARAGO

(Mélange de diverses espèces de graines fourragères)

26
AVRIL

☀ 6h40 ☀ 20h58

Ste Alida

2
FARRAGO

Boules de billard

Avec les 9 lettres données, formez 6 mots qui s'inscriront sur les boules, dans le sens des flèches. Certaines lettres sont déjà à la bonne place.

27
AVRIL

6h38 21h00

Ste Zita

B

LA

ART

ÎLOT

RAFLE

BLAIR

BATTE

Il peut y avoir d'autres possibilités.

Trombones

En éliminant trois trombones, sans changer l'ordre des autres, vous découvrirez un mot de cinq lettres.

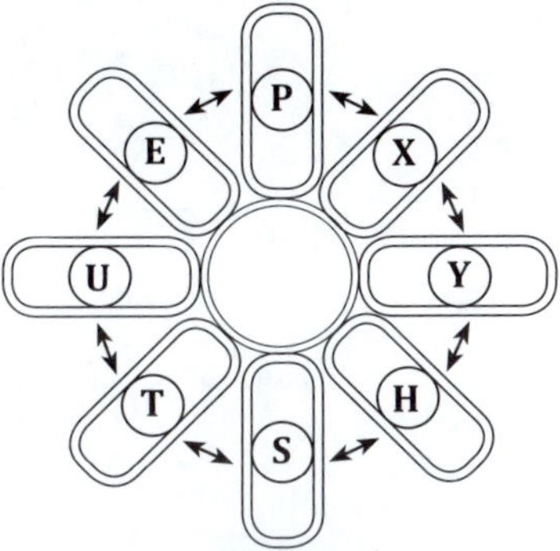

28

AVRIL

6h36 21h01

Ste Valérie

XYSTE

À votre avis ?

Quel nom commun vient logiquement s'intercaler entre les deux mots cités dans les pages d'un dictionnaire ?

BIGUE

☐☐☐☐☐☐☐

BIHEBDOMADAIRE

29

AVRIL

☀ 6h34 ☀ 21h02

Ste Catherine de Sienne

BIGUINE

Carte de visite

Remettez dans le bon ordre les lettres composant le nom d'un personnage célèbre.

PAUL TROCMERS

Écrivain français
(1871-1922)

30
AVRIL

☀ 6h33 ☀ 21h04

St Robert

MARCEL PROUST

Trombones

En éliminant trois trombones, sans changer l'ordre des autres, vous découvrirez un mot de cinq lettres.

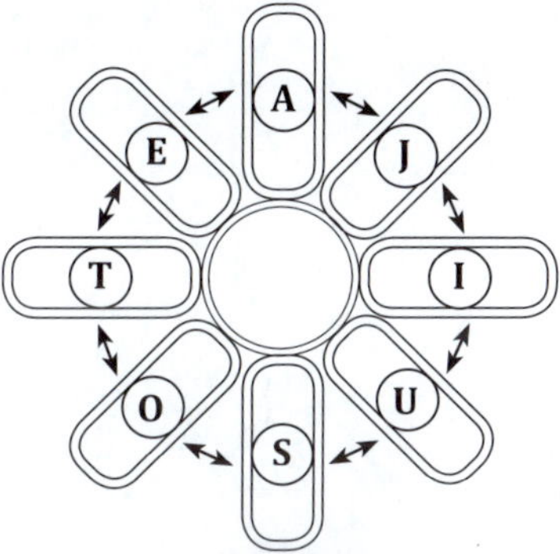

1er

MAI

6h31 21h05

Fête du travail • St Jérémy

JUSTE

Sudoku

Complétez la grille de sorte que chaque colonne, ligne ou carré 3x3 contienne une fois tous les chiffres de 1 à 9.

7		1						
	3			9		1	6	5
			1		5			
6					7	4		9
							5	
9			8	3			2	
		7	6			3		8
							9	
4	9		2				1	

2

MAI

6h29 21h07

St Boris

7	5	1	3	6	2	9	8	4
2	3	4	7	9	8	1	6	5
8	6	9	1	4	5	2	7	3
6	1	8	5	2	7	4	3	9
3	7	2	9	1	4	8	5	6
9	4	5	8	3	6	7	2	1
1	2	7	6	5	9	3	4	8
5	8	3	4	7	1	6	9	2
4	9	6	2	8	3	5	1	7

Cinq sur douze

Les 25 lettres permettent d'écrire 5 mots de la liste. Lesquels ?
Chaque lettre ne doit être utilisée qu'une fois.

E	I	M	G	E
C	G	R	T	B
N	E	A	E	F
U	O	U	N	Y
D	M	G	S	A

ANGES
ANGLE
BOMBE
ETANG
FEMME
PLUME
QUETE
RUGBY
RUINE
SERRE
SOUCI
TRONE

3
MAI

6h28 21h08

St Philippe

ANGES
ÉTANG
FEMME
RUGBY
SOUCI

D'autres solutions sont parfois possibles.

Téte à queue

À chaque mot il manque une lettre, soit celle du début, soit celle de la fin. Une fois la grille remplie, un dernier mot apparaîtra dans la rangée fléchée.

					V	I	E	R
R	O	U	N					
					S	A	R	D
I	N	U	I					
					X	A	C	T
T	I	S	S					
					I	P	O	U

4
MAI

6 h 26 — 21 h 10

St Sylvain

ÉVIER
ROUND
ISARD
INUIT
EXACT
TISSU
RIPOU

Ce qui donne :
ÉDITEUR

Mots en croix

En utilisant une seule fois les 9 lettres proposées, complétez les cases blanches du centre de façon à former trois mots horizontaux qui se croiseront avec trois mots verticaux.

A G I O R R R T U

		P	C	A		
		A	H	I		
P	A				E	S
P	O				E	S
H	E				N	E
		E	N	E		
		S	S	S		

5

MAI

6h24 21h11

Ste Judith

		P	C	A		
		A	H	I		
P	A	R	A	G	E	S
P	O	U	T	R	E	S
H	E	R	O	I	N	E
		E	N	E		
		S	S	S		

Grille 8x3

Complétez les cases blanches en utilisant tous les chiffres en-dessous.. Attention : le total doit être identique dans chaque colonne.

9	2	5			4	6	
		6	9	4		8	
7	8			7	9		8

1	2	3	4	5	6	7	7	8	9

6

MAI

6h23 21h13

Ste Prudence

LE TOTAL EST DE 18

Quatre coins

Les quatre mots sont formés de 4 lettres, une de chaque groupe. Les lettres du groupe 1 seront placées dans la première colonne, et ainsi de suite.

1

E N
O S

2

A O
P R

3

E I
R G

4

D E
S S

1	2	3	4

7
MAI

6h21 21h14

Ste Gisèle

ÉPIS
NORD
ORES
SAGE

D'autres solutions
sont parfois possibles.

Lettres absentes

Avec les lettres qui ne figurent pas dans cette grille, formez un ou plusieurs mots.

T	K	B	L	C	W	D	M	X	Y	N
F	H	P	F	W	Q	K	Q	I	S	J
F	H	P	B	L	T	J	C	W	D	C
I	Y	T	D	M	X	W	N	F	H	X
Y	T	M	X	Q	I	Y	T	K	J	C
H	P	F	D	S	N	F	I	S	Y	N
F	J	C	W	K	B	L	C	W	D	C
T	M	D	J	F	P	B	S	N	F	L

8

MAI

6h20 21h15

Victoire 1945 • St Désiré

OUVRAGE
VOGUERA

Lettre de plus

Il faut à chaque ligne, ajouter une lettre au mot précédent pour en former un nouveau. Dans un premier temps, essayez de faire ce jeu sans vous servir des définitions.

A	
□□	Note
□□□	Fatigué
□□□□	comme un cochon
□□□□□	Au bord de la mer
□□□□□□	Droit
□□□□□□□	Maisons de vaches
□□□□□□□□	Installées
□□□□□□□□□	Animales
S T A B I L I S E E	

9

MAI

6h18 21h17

St Pacôme

LA
LAS
SALE
SABLE
STABLE
ETABLES
ETABLIES
BESTIALES
STABILISEE

Damier

Remplacez judicieusement trois lettres de chacun des deux mots par les six pions, pour former deux nouveaux mots. Un même pion ne peut être utilisé qu'une seule fois.

A	A	C	R	R	R

C	A	T	A	P	U	L	T	E
C	I	N	É	P	H	I	L	E

10

MAI

☀ 6h16 ☀ 21h18

Ste Solange

CATARACTE CINÉRAIRE

D'autres solutions
sont parfois possibles.

Labyrinthe

Partez de la case 1 et trouvez le chemin qui vous conduira à la case 2 en formant un mot. Attention : n'utiliser qu'une seule fois une même lettre.

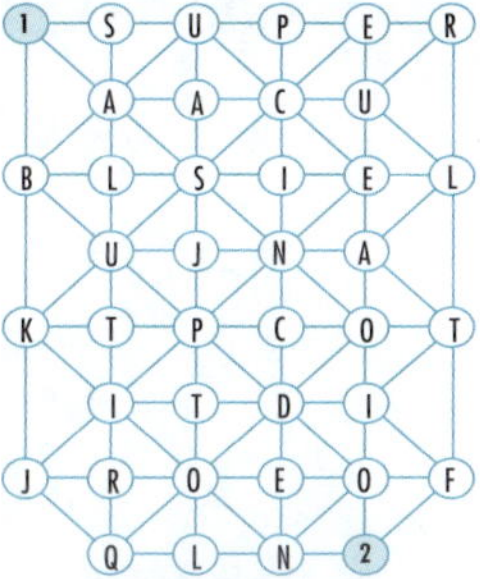

11
MAI

6h15 21h20

Ste Estelle

ABLUTION

Horloge

Retrouvez le nom ou l'expression en remplaçant les heures et minutes par les lettres correspondantes.

Thème : titre d'une chanson

5 h 05
9 h 55
7 h 20
12 h 35
10 h 25
2 h 30
3 h 40
12 h 35

12
MAI
6h14 21h21
St Achille

AUPRÈS DE MA BLONDE

Pyramide

Avec les neuf lettres données, formez six mots qui s'inscriront sur la pyramide, dont deux dans le sens des flèches. Certaines lettres sont déjà à la bonne place dans le jeu.

B	E	E	I	L	M	S	U	U

	O			
	L	V		
	P	R	I	

13
MAI

6h12 21h22

Ascension • Ste Rolande

I
MU
BOL
ULVE
ÉPRIS

IMBUE
IULES

Il peut y avoir
d'autres possibilités.

Hexaboules

Placez, dans le jeu, les six mots de quatre lettres.

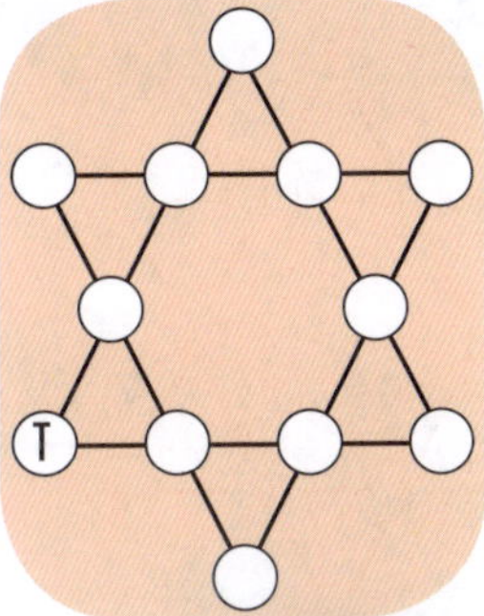

ÉOLE
POPE
PRIE
SORT
SPOT
TILT

14
MAI
6h11 21h24
St Matthias

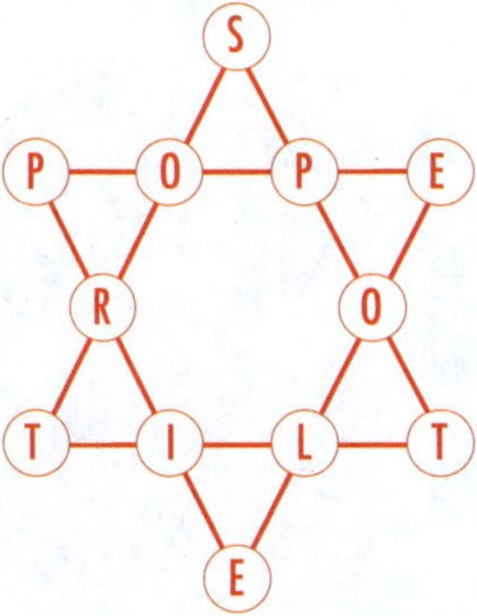
S
P O P E
R O
T I L T
E

Jeu de lettres

Remplacez trois lettres de chacun des mots par l'une des six proposées pour former deux nouveaux mots.

A B M N P S

A	G	O	N	I	S	A	N	T

M	E	S	U	R	A	B	L	E

15

MAI

6h09 21h25

Ste Denise

ABOMINANT
SEPARABLE

D'autres solutions
sont parfois possibles.

Faites vos comptes

Complétez cette grille de mots croisés, sachant que chaque lettre a une valeur en points et que le total de chaque mot est donné.

Le mot : ROSÉE figure dans la grille.

A = 1	L = 7
B = 2	N = 8
C = 3	O = 9
E = 4	R = 10
I = 5	S = 11
J = 6	

	29	32	28	23	7	
21				N		
38						
23	I				■	
22		E		■		6
27			E			
				8	10	

16
MAI

6 h 08 · 21 h 26

St Honoré

B	L	A	N	C
R	O	S	E	E
I	B	I	S	
S	E	L		J
A	R	E	N	E

Sudoku

Complétez la grille de sorte que chaque colonne, chaque ligne et chaque carré 3x3 contienne une seule fois tous les chiffres de 1 à 9.

	8	2	1				4	
1	6	9						
					9	3		
				3				9
			4		1	7	5	
			5		2	4	6	
9	7	6						
	5	8	9				1	
					8	2		

17

MAI

☀ 6h07 ☀ 21h28

St Pascal

3	8	2	1	5	7	9	4	6
1	6	9	3	2	4	5	7	8
7	4	5	8	6	9	3	2	1
5	2	4	7	3	6	1	8	9
6	9	3	4	8	1	7	5	2
8	1	7	5	9	2	4	6	3
9	7	6	2	1	5	8	3	4
2	5	8	9	4	3	6	1	7
4	3	1	6	7	8	2	9	5

Téte à queue

Complétez chaque mot pour faire apparaître un dernier mot dans la rangée verticale.

					I	L	O	N
E	C	I	M					
					S	A	I	S
E	G	O	U					
					C	R	A	N
E	N	J	E					
					E	C	U	L

18

MAI

6 h 06 21 h 29

St Éric

FILON
ÉCIMA
USAIS
ÉGOUT
ÉCRAN
ENJEU
RECUL

ce qui donne : FAUTEUR

Kakuro

Utilisez une fois les chiffres de 1 à 9 en lignes et colonnes. La somme dans la case colorée représente le total des chiffres de la rangée correspondante.

	23	20	8			9	10	25	17
15				16 \ 27		6			1
26	8				18 \ 10			4	
4			10 \ 11		4		13 \ 14		
18		8		4		19 \ 18			
		16		20 \ 21			1		25
	15 \ 23		1				9 \ 11		
7			17 \ 20	9				12	
22					20	5			4
23	4				7	14	6		

19

MAI

6h04 21h30

St Yves

9	4	2		8	6	7	5	1
8	5	6	7		1	3	4	2
1	3		5	4	2		6	8
3	8	1	4	2		5	7	6
2		4		5	7	8	1	
	6	5	8	1	3		2	9
5	2		9	6	4	1		7
6	7	8	1		5	2	9	4
4	1	9	2	7		6	3	5

Mots

Trouvez au moins 30 mots de 3 lettres minimum en utilisant des lettres mitoyennes en vertical, horizontal ou diagonal. Exemple : MATE

E	U	X	I
I	O	S	E
A	R	T	G
N	E	M	A

20

MAI

6 h 03 · 21 h 32

St Bernardin

MATES - MERS - NEM - MÉTRAI - METS -
SORT - SORTE - EUX - TOUX - TOUS -
GESTE - ÂNE - AIRE - AIRS - AIE -
RAIE - TROUS - SIX - ROUX - OIE - ARE -
ARME - ARMAT - AMER - TORSE -
MATOU - ÉTÉS - MÉROU - ROI - TRIE -
TRAIE - AMENAI - ARTS - ROSE -
ROUSTE - MATOS - ÊTRE - MAGES -
IRE - STAGE - STEM - STÉRAI - TEX...

Labyrinthe

Partez de la case 1 et trouvez le chemin qui vous conduira à la case 2 en formant un mot. Attention : n'utiliser qu'une seule fois une même lettre.

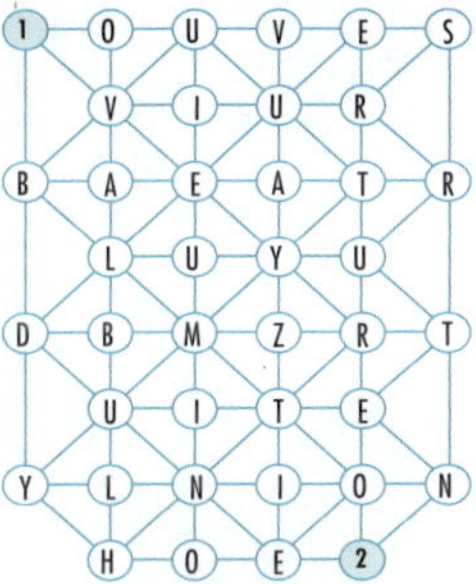

21

MAI

6h02 21h33

St Constantin

OVALBUMINE

Quatre coins

Pour former un mot, il vous faut prendre une lettre dans chaque case. Les lettres de la case 1 seront placées dans la première rangée verticale, etc.

Case 1 :
L P
S T

Case 2 :
E I
O Y

Case 3 :
E U
R U

Case 4 :
D E
R S

1	2	3	4

22

MAI

6h01 21h34

St Émile

LYRE
PEUR
SIED
TOUS

D'autres solutions sont parfois possibles.

Addition

Complétez le tableau avec les chiffres proposés de façon à ce que les additions soient justes.

1	3	4	5	6	7	8	9

	+	2	+		=	11
+		+		+		
	+		+	6	=	17
+		+		+		
	+		+		=	17
=		=		=		
15		17		13		

23
MAI

6h00 21h35

Pentecôte • St Didier

5	2	4
7	9	1
3	6	8

Bonne orthographe

Des trois mots, lequel est bien orthographié ?

1) INIQUE
2) INNIQUE
3) INHIQUE

(Qui manque d'équité, injuste)

24
MAI

5 h 59 21 h 37

Lundi de Pentecôte
St Donatien

1
INIQUE

Boules de billard

Avec les neuf lettres données, formez six mots qui s'inscriront sur les boules de billard, dans le sens des flèches. Certaines lettres sont déjà à la bonne place dans le jeu.

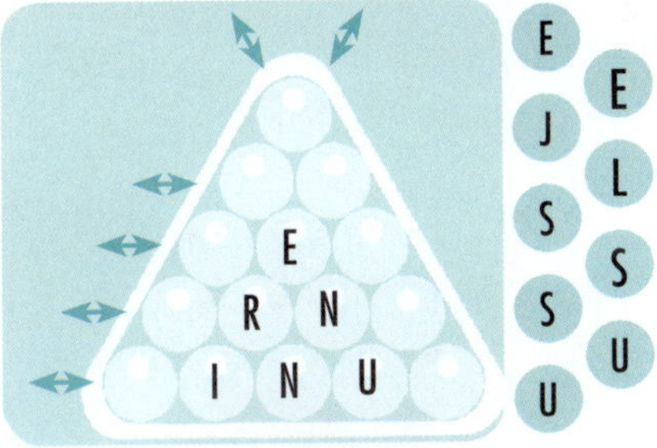

25
MAI
5h58 21h38
Ste Sophie

J

EU

SEL

URNE

SINUS

JÉSUS

JULES

Il peut y avoir d'autres possibilités.

Dédalo

Reliez chaque paire de chiffres par une ligne horizontale et/ou verticale (mais pas en diagonale) sans que les tracés de ces lignes ne se croisent ni se superposent.

	6						
	2	3	2			3	
					5		
		1					
			4		5		
	4					1	
				6			

26

MAI

5h57 21h39

St Bérenger

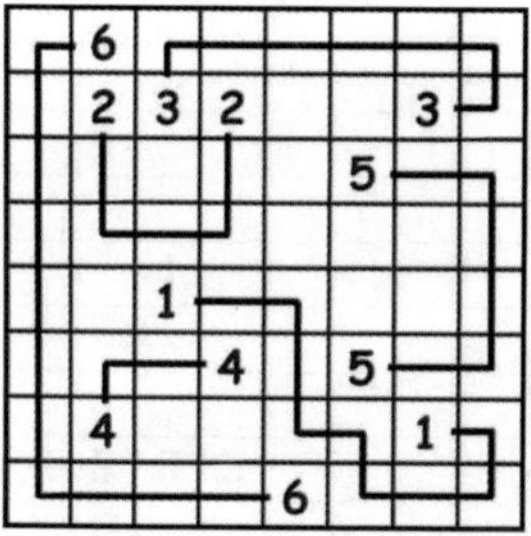

Bonne addition

Placez les huit chiffres pour résoudre toutes les additions.

1 2	◯	+	7	+	◯	=	24
	+		+		+		
3 4	◯	+	◯	+	◯	=	11
5 6	+		+		+		
8 9	◯	+	◯	+	◯	=	10
	=		=		=		
	12		16		17		

Plusieurs solutions sont parfois possibles.

27

MAI

5h56 21h40

St Augustin

9	7	8
1	4	6
2	5	3

Cases Noires

Noircissez 13 cases pour rendre cohérente cette grille de mots croisés.

P	O	S	T	U	L	A	N	T	E
O	S	I	E	R	A	V	I	E	S
S	E	R	R	U	R	I	E	R	S
T	R	E	S	S	A	G	E	N	E
E	N	N	E	M	I	N	S	U	D
R	U	E	R	E	N	O	M	T	V
I	R	E	L	I	E	N	A	P	I
E	I	D	E	R	S	O	S	A	S
U	N	I	R	A	P	A	T	R	E
R	E	T	S	P	A	N	I	E	R

28

MAI

5h55 21h41

St Germain

P	O	S	T	U	L	A	N	T	E
O	S	I	E	R		V	I	E	S
S	E	R	R	U	R	I	E	R	S
T	R	E	S	S	A	G	E		E
E		N	E		I	N	S	U	
R	U	E	R		N	O		T	V
I	R			I	E	N	A		I
E	I	D	E	R	S		S	A	S
U	N	I	R	A		A	T	R	E
R	E	T	S		A	N	I	E	R

Quatre coins

Les quatre mots sont formés de 4 lettres, une de chaque groupe. Les lettres du groupe 1 seront placées dans la première colonne, et ainsi de suite.

Groupe 1 : B G R S

Groupe 2 : A E I N

Groupe 3 : G K N O

Groupe 4 : B E E S

1	2	3	4

29

MAI

5h54 21h42

St Aymard

BÉKÉ
GINS
RAGE
SNOB

D'autres solutions
sont parfois possibles.

Carte de visite

Remettez dans le bon ordre les lettres composant le nom d'un personnage célèbre.

Denise Ponteaux-Trainey

Écrivain français
(1900-1944)

30
MAI

5h53 21h43

Fête des mères • St Ferdinand

ANTOINE DE SAINT-EXUPÉRY

Grille 8x3

Complétez les cases blanches en utilisant tous les chiffres en-dessous.. Attention : le total doit être identique dans chaque colonne.

	5				8		2
7		2	7	6	5	9	
8	5			3		3	6

1	2	3	4	5	6	7	7	8	9

31

MAI

5h53 21h44

Visitation

LE TOTAL EST DE 16

Quatre coins

Pour former un mot, il vous faut prendre une lettre dans chaque case. Les lettres de la case 1 seront placées dans la première rangée verticale, etc.

Case 1 : B P R T

Case 2 : E H L O

Case 3 : A I T U

Case 4 : A M N T

1	2	3	4

1er

JUIN

5 h 52 — 21 h 45

St Justin

BÊTA
PLAN
RHUM
TOIT

D'autres solutions sont parfois possibles.

Mots détachés

Retrouvez les 14 mots découpés en 3 groupes de 3 lettres. Il restera alors 3 groupes formant un nouveau mot.

ILL	LEM	NTS	ITU	ILE
RES	ING	ALI	GLE	FES
RIT	ELL	TOM	NER	FAT
TRO	ANE	STE	USE	ENT
ALT	TON	CHA	LES	PEL
DIF	RIE	VER	SER	FIC
IME	ARD	DES	ISO	TRA
LES	CON	JON	SED	SER
LIB	REW	SOU	ERO	ULE

1....... ALTITUDES
2....... CHAPELLES
3....... CONTRÔLES
4....... DIFFICILE
5....... ÉROTOMANE
6....... FATALISTE
7....... FESTONNER
8....... ISOLEMENT
9....... JONGLEUSE
10....... REWRITING
11....... SÉDIMENTS
12....... SERRIÈRES
13....... SOUILLARD
14....... TRAVERSER

Le mot découvert est : ....

2
JUIN

5h51 21h46

Ste Blandine

LIBELLULE

Cases noires

Noircissez 13 cases pour rendre cohérente cette grille de mots croisés.

M	O	D	E	R	N	I	S	E	R
A	R	E	T	E	A	V	E	L	O
R	E	N	E	O	N	E	R	O	N
C	E	T	S	F	A	X	T	I	R
H	V	E	T	I	R	A	I	N	O
A	B	L	E	U	R	R	E	O	N
N	I	E	L	L	E	S	A	R	N
D	E	S	T	O	R	E	S	T	E
E	R	A	S	T	I	N	U	I	T
R	E	N	C	O	N	T	R	E	E

3

JUIN

5h51 21h47

St Kevin

M	O	D	E	R	N	I	S	E	R
A	R	E	T	E	■	V	E	L	O
R	E	N	E	■	N	E	R	O	N
C	E	T	■	F	A	■	T	I	R
H	■	E	T	I	R	A	I	■	O
A	B	L	E	■	R	■	E	O	N
N	I	E	L	L	E	S	■	R	N
D	E	S	■	O	R	E	S	T	E
E	R	■	S	T	■	N	U	I	■
R	E	N	C	O	N	T	R	E	E

Mots en croix

En utilisant une seule fois les 9 lettres proposées, complétez les cases blanches du centre de façon à former trois mots horizontaux qui se croiseront avec trois mots verticaux.

E
I
I
N
R
S
S
T
U

		R	F	O		
		O	U	R		
F	O				I	R
R	U				N	E
R	O				R	S
		I	V	R		
		N	E	E		

4

JUIN

5 h 50 21 h 48

Ste Clotilde

		R	F	O		
		O	U	R		
F	O	U	R	N	I	R
R	U	S	T	I	N	E
R	O	S	I	E	R	S
		I	V	R		
		N	E	E		

Boules perdues

En utilisant toutes les lettres du jeu, vous devez découvrir et placer six mots de quatre lettres.

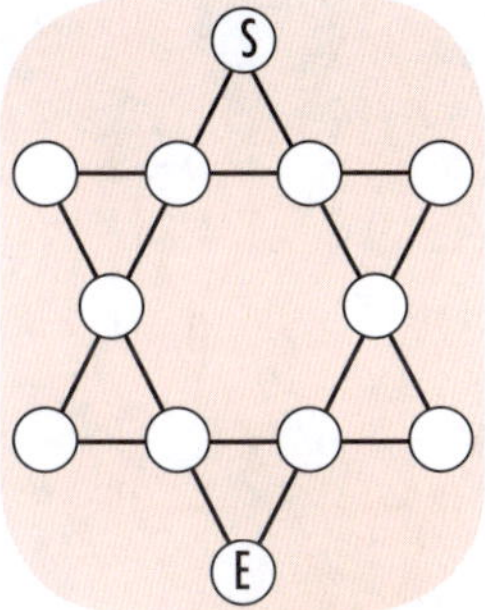

E R
E S
E S
O U
R U

5
JUIN
5h49 21h49
St Igor

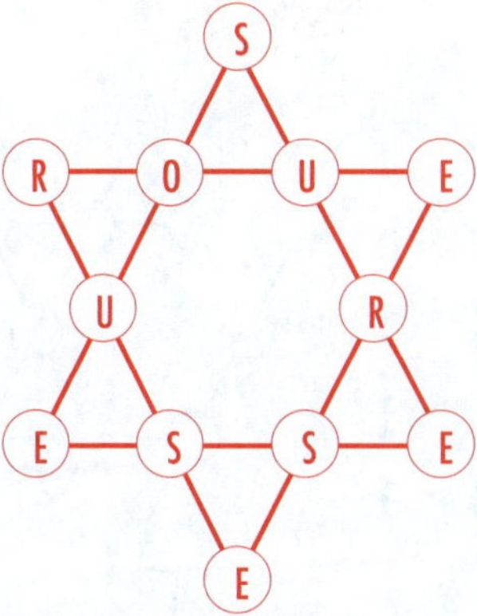
S
R O U E
U R
E S S E
E

Sudoku

Complétez la grille de sorte que chaque colonne, chaque ligne et chaque carré 3x3 contienne une seule fois tous les chiffres de 1 à 9.

		1				7		
	3	5			2		6	9
		7			4	3	8	
5			7	4				
	1	6			8			
1			4	6			5	2
3				2		9		4
				8		6		

6

JUIN

5h49 21h50

St Norbert

6	4	1	8	3	9	7	2	5
8	3	5	1	7	2	4	6	9
2	9	7	6	5	4	3	8	1
9	8	4	3	1	5	2	7	6
5	2	3	7	4	6	1	9	8
7	1	6	2	9	8	5	4	3
1	7	9	4	6	3	8	5	2
3	6	8	5	2	7	9	1	4
4	5	2	9	8	1	6	3	7

Lettres à colorier

Coloriez ou noircissez toutes les lettres qui figurent plus d'une fois. Ceci fait, avec les lettres restées blanches, formez un mot.

N	D	H	G	N	P	Q	H	J	A	C
M	J	M	S	D	E	F	K	T	K	F
X	N	B	P	G	P	K	A	N	S	V
A	D	F	P	J	Q	Y	Z	C	L	S
Q	W	K	Z	D	C	Y	D	F	M	H
T	V	O	U	X	P	X	W	Q	Y	W
N	T	V	P	N	V	S	F	G	A	Z
Y	Z	H	J	Z	I	A	C	K	M	J
M	T	R	P	Q	S	Y	D	F	G	V

7

JUIN

5h48 21h51

St Gilbert

ÉBLOUIR

Lettre de plus

Il faut à chaque ligne, ajouter une lettre au mot précédent pour en former un nouveau. Dans un premier temps, essayez de faire ce jeu sans vous servir des définitions.

E		
□□	....	Note de musique
□□□	....	Désert
□□□□	....	Attention !
□□□□□	....	Classe
□□□□□□	....	Furieux
□□□□□□□	....	Traiter avec égards
□□□□□□□□	....	Punaise orange et noire
D E M E N A G E R		

8

JUIN

☀ 5 h 48 ☀ 21 h 51

St Médard

RE
ERG
GARE
RANGE
ENRAGÉ
MÉNAGER
GENDARME

Trombones

En éliminant trois trombones, sans changer l'ordre des autres, vous découvrirez un mot de cinq lettres.

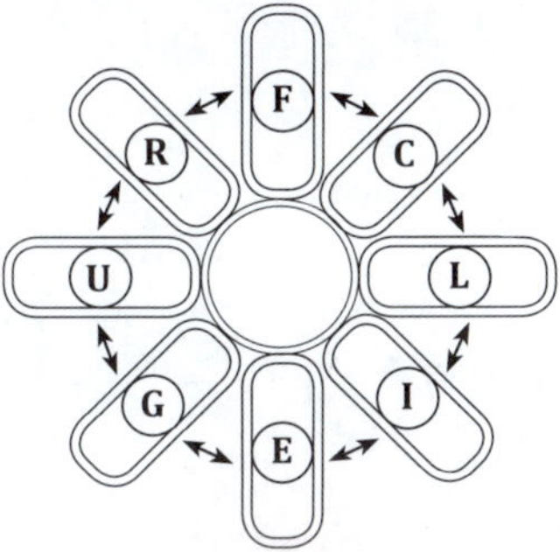

9

JUIN

5h48 21h52

Ste Diane

FLEUR

Lettre finale

Chaque mot de la première grille a son anagramme que vous devez trouver. Ceci fait, dans la colonne fléchée verticale, vous verrez apparaître un nouveau mot.

L	I	E	R	A	S
R	O	N	G	E	A
R	U	I	N	E	S
R	O	S	T	R	E
G	R	A	T	I	N
R	E	V	E	T	U
P	R	I	S	E	R

↕					

10

JUIN

5h47 21h53

St Landry

RELAIS
ORANGE
USINER
TRÉSOR
INGRAT
ÉTUVER
REPRIS

ce qui donne :
ROUTIER

Dédalo

Reliez les paires en vous déplaçant uniquement en lignes horizontales et verticales. Les lignes ne doivent ni se croiser ni se superposer.

5	3			2		2			
	6	4						4	
		8	6				5	1	
					7				
				8					
			7						
								3	
									1

11

JUIN

5 h 47 21 h 53

St Barnabé

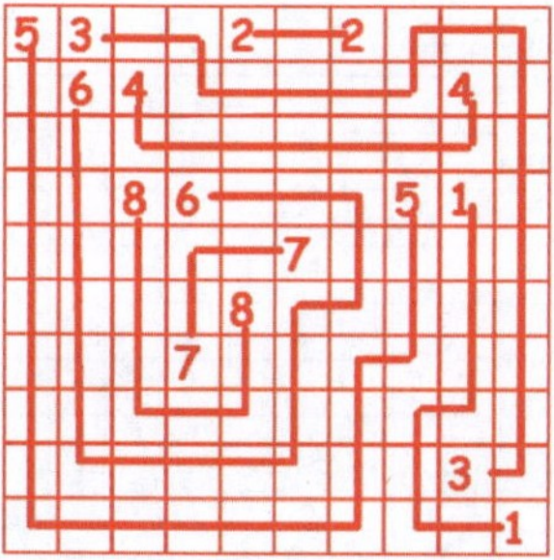

Mots en croix

En utilisant, UNE SEULE FOIS, les 9 lettres ci-dessous, vous devez compléter le tableau de façon à former trois mots horizontaux qui se croiseront avec les trois mots verticaux.

E	I	I	I	L	N	R	S	U

		R	M	C		
		E	O	U		
U	S				E	R
G	E				S	E
T	U				A	U
		O	L	U		
		N	E	R		

12

JUIN

5h47 21h54

St Guy

		R	M	C		
		E	O	U		
U	S	U	R	I	E	R
G	E	N	I	S	S	E
T	U	I	L	E	A	U
		O	L	U		
		N	E	R		

Quiz

Quelle est la figure de style
qui juxtapose deux mots opposés ?

A - Un anaphore
B - Un oxymore
C - Un pléonasme

13
JUIN

5 h 47 21 h 55

St Antoine de Padoue

B - Un oxymore
(Ex : cette obscure clarté)

Hexaboules

Placez, dans le jeu, les six mots de quatre lettres.

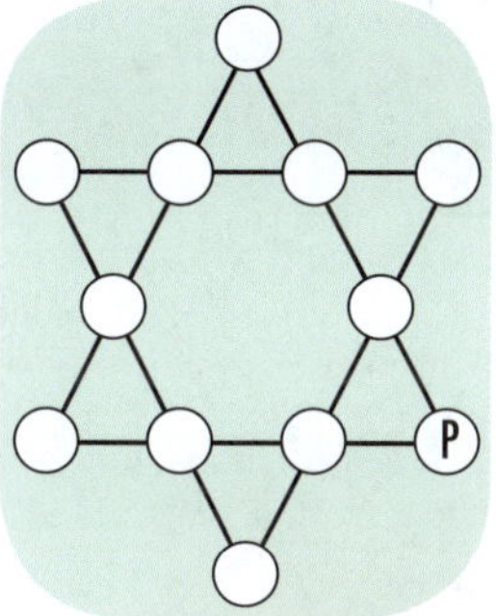

MÊLE
MURS
SLIP
SOIE
TROP
TUES

14
JUIN
5h47 21h55
St Élisée

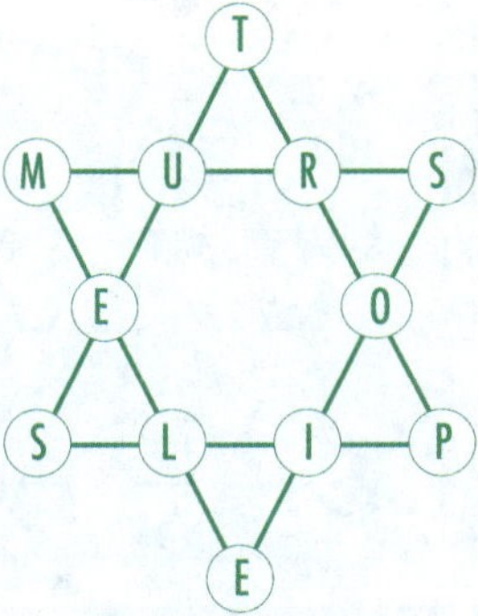
T
M U R S
E O
S L I P
E

Téte à queue

À chaque mot il manque une lettre, soit celle du début, soit celle de la fin. Une fois la grille remplie, un dernier mot apparaîtra dans la rangée fléchée.

					L	O	N	D
C	O	E	U					
					U	E	S	T
P	L	O	U					
					R	E	T	E
J	O	U	E					
					A	R	O	T

15

JUIN

☀ 5h46 ☀ 21h56

Ste Germaine

BLOND
COEUR
OUEST
PLOUC
ARÊTE
JOUER
TAROT

ce qui donne :
BROCART

Mots détachés

Retrouvez les 14 mots découpés en 3 groupes de 3 lettres.
Il restera alors 3 groupes formant un nouveau mot.

ROY	CAL	VEN	FFA	TTE
IDE	HEL	DEV	ENT	BIE
TIA	LIE	AIS	ION	RIL
SER	PER	IRS	RDE	DIT
IER	ILL	SOU	TAU	ORP
INS	DAN	BRA	ARG	RES
EUR	ARD	URS	CAR	LON
BES	LLE	ECO	RIE	STE
BOU	INE	ALI	REL	IRE

1....... ARGENTIER
2....... BESTIAIRE
3....... BIELLETTE
4....... BRAILLARD
5....... CÂLINERIE
6....... CARRELEUR
7....... DANSERAIS
8....... DÉVIDEURS
9....... ÉCOLIÈRES
10....... ORPHELINS
11....... PERDITION
12....... ROYALISTE
13....... SOUVENIRS
14....... TAURILLON

Le mot découvert est : ....

16
JUIN

5h46 21h56

St Jean-François

BOUFFARDE

Dico-test

Il vous faut découvrir un mot en vous aidant des définitions données. Votre score dépendra du nombre d'indices utilisés.

20/20

Déploiement de faste

****

15/20

Appareil à piston pour lever un fluide

****

10/20

Chaussure argotique

****

MOT DÉCOUVERT :

....

17

JUIN

5 h 46 21 h 57

St Hervé

POMPE

Échelle

Complétez la grille avec les lettes proposées de façon à composer 5 mots horizontaux et 2 mots verticaux.

A	D	E	F	I	N	O	P	T	U

	I	R	
	V	I	
	I	A	
	C	C	
	I	T	

18

JUIN

5h46 21h57

St Léonce

D	I	R	E
O	V	I	N
P	I	A	F
A	C	C	U
T	I	T	I

Labyrinthe

Partez de la case 1 et trouvez le chemin qui vous conduira à la case 2 en formant un mot. Attention : n'utiliser qu'une seule fois une même lettre.

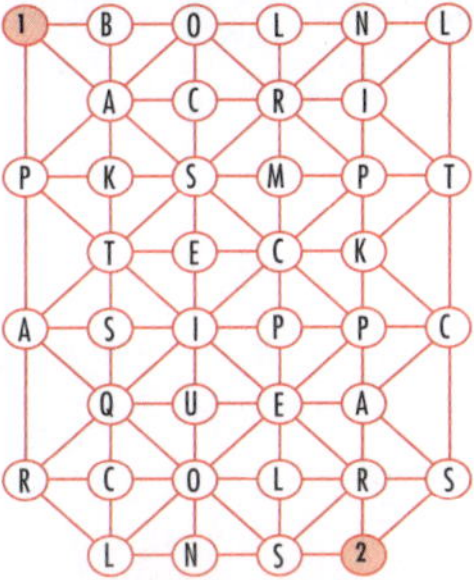

19

JUIN

5h47 21h57

St Romuald

ASTIQUER

Des dés

Replacez ces dés dans le bon ordre pour totaliser 24.

20
JUIN
5 h 47 21 h 57
Fête des pères • St Silvère

6	5	6	5	2
4	6	2	6	6
5	4	6	4	5
4	3	6	5	6
5	6	4	4	5

Pyramide

Avec les neuf lettres données, formez six mots qui s'inscriront sur la pyramide, dont deux dans le sens des flèches. Certaines lettres sont déjà à la bonne place dans le jeu.

A	A	A	C	H	K	M	R	R

	I			
	L	A		
	E	V	E	

21

JUIN

5h47 21h58

Été • St Gonzague

K
RA
AIR
CLAM
HÉVÉA
KRACH
KARMA

Il peut y avoir
d'autres possibilités.

Damier

Remplacez trois lettres de chacun des deux mots par les six pions, pour former deux nouveaux mots. Un pion ne peut être utilisé qu'une seule fois.

(A) (A) (E) (F) (N) (V)

E	G	R	E	N	E	U	S	E

F	O	R	M	A	T	I	O	N

22
JUIN
5 h 47 21 h 58
St Alban

AGRAFEUSE NORMATIVE

D'autres solutions sont parfois possibles.

Carré magique

N'utilisez qu'une seule fois tous les chiffres compris entre 26 et 33 pour obtenir les totaux placés autour de la grille

90 ↘	90	90	90	↙ 90
90		34		
90				
90				

23
JUIN
5h47 21h58
Ste Audrey

29	34	27
28	30	32
33	26	31

Dédalo

Reliez chaque paire de chiffres par une ligne horizontale et/ou verticale (mais pas en diagonale) sans que les tracés de ces lignes ne se croisent ni se superposent.

							1
	2	4				5	
						4	
5			8		7	6	
					9		
	7						
	3	8		9	6	1	
2							3

24

JUIN

5 h 48 21 h 58

Fête nationale québécoise
St Jean-Baptiste

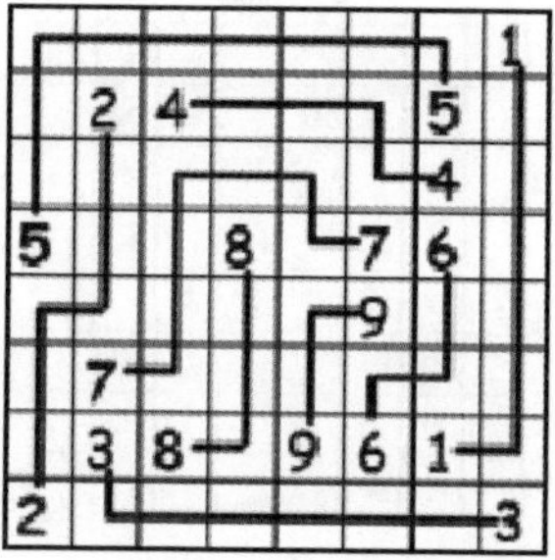

Bonne addition

Placez les huit chiffres pour résoudre toutes les additions.

2 3
4 5
6 7
8 9

◯	+	◯	+	◯	=	16
+		+		+		
◯	+	◯	+	◯	=	15
+		+		+		
1	+	◯	+	◯	=	14
=		=		=		
10		19		16		

Plusieurs solutions sont parfois possibles.

25
JUIN
5 h 48 21 h 58
St Prosper

3	8	5
6	2	7
1	9	4

Bonne orthographe

Des trois mots, lequel est bien orthographié ?

1) TAMANDOUA
2) TAMENDOUA
3) TAMANDUA

(Animal proche du tamanoir, mais plus petit)

3
TAMANDUA

Addition

Complétez le tableau avec les chiffres proposés de façon à ce que les additions soient justes.

2	3	4	5	6	7	8	9

	+	1	+		=	11
+		+		+		
	+		+		=	15
+		+		+		
	+		+		=	19
=		=		=		
15		13		17		

27
JUIN
5 h 49 21 h 58
St Fernand

6	1	4
7	3	5
2	9	8

Approximation

En vous aidant de la définition un peu tirée par les cheveux, découvrez l'énigme.

Définition :

Bête chandelle

Énigme :

Gardien

28

JUIN

5h49 21 h 58

St Irénée

CONCIERGE
(CON CIERGE)

Le boulier

Placez les chiffres sur le boulier en ne les utilisant qu'une seule fois.

0	1	1	1	1	2	2	4	4	6	8	8	9

Année de la première Constitution suisse ? ○○○○

Nombre de cantons formant la Suisse ? ○○

Année du prix Nobel de physique d'Albert Einstein ? ○○○○

Hauteur du jet d'eau, emblème de Genève ? ○○○

29

JUIN

5 h 50 21 h 58

St Pierre, St Paul

1848
26
1921
140

Quatre coins

Les quatre mots sont formés de 4 lettres, une de chaque groupe. Les lettres du groupe 1 seront placées dans la première colonne, et ainsi de suite.

B	E
L	O

1

E	I
O	S

2

1	2	3	4

3

E	N
S	Y

4

E	G
S	S

30

JUIN

5 h 50 21 h 58

St Martial

ESSE
LONG
OIES
BEYS

D'autres solutions
sont parfois possibles.

Trombones

En éliminant trois trombones, sans changer l'ordre des autres, vous découvrirez un mot de cinq lettres.

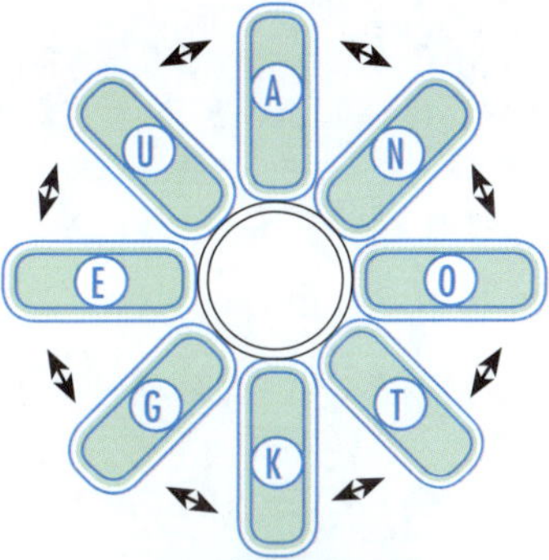

1er

JUILLET

5 h 51 21 h 58

Fête nationale canadienne
St Thierry

GÉANT

Sudoku

En utilisant toutes les lettres du jeu, vous devez découvrir et placer six mots de quatre lettres.

	9		1					6
	4		2	9				1
					8	9	5	
4	1			5				
3	6	8				7	9	5
				3			4	2
	2	9	5					
7				8	1		6	
6					7		1	

2

JUILLET

5h52 21h57

St Martinien

8	9	3	1	7	5	4	2	6
5	4	6	2	9	3	8	7	1
2	7	1	6	4	8	9	5	3
4	1	2	7	5	9	6	3	8
3	6	8	4	1	2	7	9	5
9	5	7	8	3	6	1	4	2
1	2	9	5	6	4	3	8	7
7	3	5	9	8	1	2	6	4
6	8	4	3	2	7	5	1	9

Échelle

Complétez la grille avec les lettres proposées de façon à composer 5 mots horizontaux et 2 mots verticaux.

A	A	B	C	E	E	L	R	U	X

↓			↓
	U	N	
	O	U	
	V	E	
	A	I	
	C	R	

3

JUILLET

5 h 52 21 h 57

St Thomas

A	U	N	E
R	O	U	X
A	V	E	C
B	E	L	L
É	C	R	U

Boules perdues

En utilisant toutes les lettres du jeu, vous devez découvrir et placer six mots de quatre lettres.

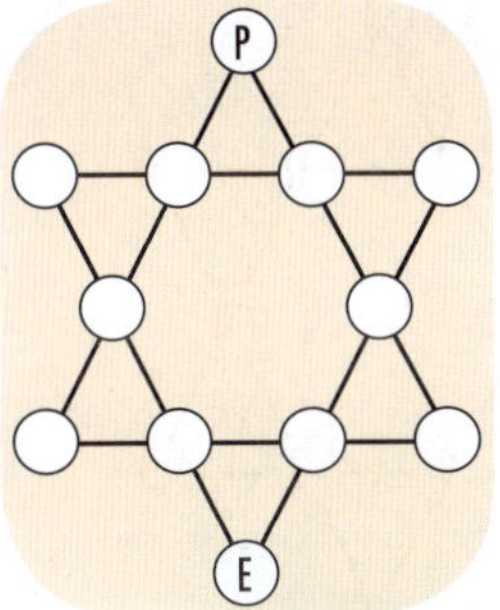

A I
D R
E R
E U
G V

4
JUILLET
5 h 53 21 h 57
St Florent

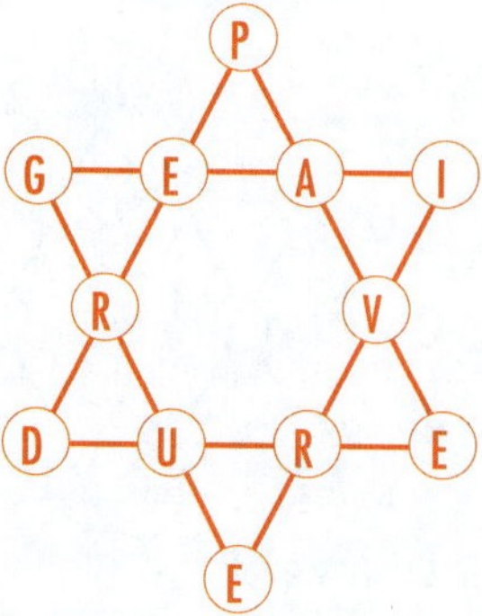

P
G
E
A
I
R
V
D
U
R
E
E

Lettres à colorier

Coloriez ou noircissez toutes les lettres qui figurent plus d'une fois. Ceci fait, avec les lettres restées blanches, formez un mot.

D	P	R	J	B	J	B	N	P	B	E
H	W	E	M	F	X	Z	Q	I	E	A
J	X	Z	K	M	K	R	G	H	X	Z
W	N	I	N	P	C	G	H	S	X	Z
M	E	F	Q	R	N	Q	F	S	U	V
W	T	G	U	V	W	P	Q	R	H	N
P	G	X	Z	K	I	G	I	U	Y	M
R	S	U	L	J	K	M	H	U	V	W
F	S	V	B	I	J	K	B	E	S	O

5

JUILLET

5 h 54 21 h 56

St Antoine

DACTYLO

Mots

Trouvez au moins 30 mots de 3 lettres minimum en utilisant des lettres mitoyennes en vertical, horizontal ou diagonal. Exemple : ÉLUES

S	E	H	I
L	E	A	I
U	R	D	N
D	E	S	I

6

JUILLET

5h54 21h56

Ste Mariette

ÉLUES - RUDE - RUDES - DINAI -
DINARS - HÈRE - HEU - HÈLES - RÉES -
HARDES - SEULE - DUELS - RELUES -
LUES - AINSI - IDES - AIDES -
AIDÉES - DARD - HARD - RADINS -
RÉAI - NIDS - DER - DUES - LÉSERAI -
HEU - ÈRES - INDES - ANS - DRAINS -
RUÉE - URÉE - ERS - RÉELS -
DURÉES - DÉDIAI...

Lettres absentes

Avec les lettres qui ne figurent pas dans cette grille, formez un ou plusieurs mots.

K	M	U	M	X	B	N	S	T	D	S
I	W	X	B	K	N	J	X	B	K	N
Q	P	Q	P	G	Y	S	F	K	M	D
N	P	M	U	S	G	P	Q	J	Q	I
G	Y	Z	P	M	U	S	F	K	M	D
N	S	G	I	Q	T	N	P	Q	J	Q
I	S	T	D	J	Q	P	B	D	F	J
Q	X	B	N	S	Q	P	B	D	F	V

7
JUILLET
5h55 21h55
St Raoul

CHORALE
CHOLERA
LOCHERA

Lettre centrale

Regroupez les rectangles deux par deux pour former six mots de sept lettres en ajoutant au milieu une des lettres de la liste.

E G G M S S

ETA	LEG			
NDE	ENE			
EES	ERO			
TEN	ION			
GRI	CES			
ERE	ION			

8
JUILLET
5h56 21h55
St Thibault

CESSION
ÉROGÈNE
ÉTAGÈRE
GRIMÉES
LÉGENDE
TENSION

Addition

Complétez le tableau avec les chiffres proposés de façon à ce que les additions soient justes.

1	2	3	4	5	7	8	9

	+	1	+		=	13
+		+		+		
	+		+	6	=	19
+		+		+		
	+		+		=	13
=		=		=		
16		13		16		

9

JUILLET

5 h 57 21 h 54

Ste Amandine

5	1	7
9	4	6
2	8	3

Dédalo

Reliez les paires en vous déplaçant uniquement en lignes horizontales et verticales. Les lignes ne doivent ni se croiser ni se superposer.

	9	4		1	2		4	6	
		5	3			3	5		
		8					7		
				1	2				
	9	8					7	6	

10

JUILLET

5 h 58 21 h 54

St Ulrich

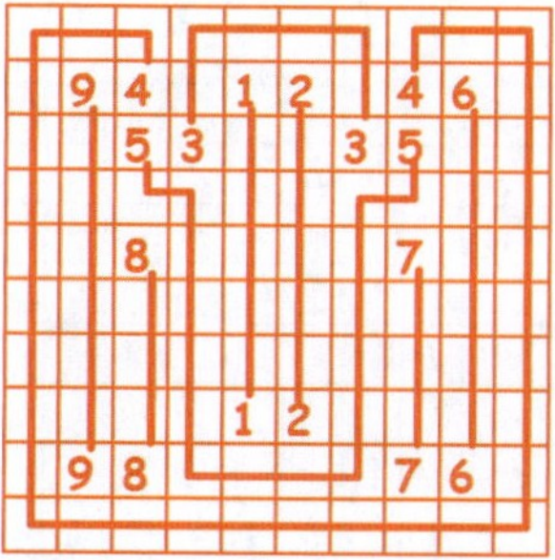

Horloge

Retrouvez la citation en remplaçant les heures et minutes par les lettres correspondantes.

Thème : citation de Jean Cocteau

2 h 05
1 h 25
11 h 15
4 h 45
5 h 05
5 h 30
9 h 25
7 h 25
6 h 45

11
JUILLET
5 h 59 21 h 53
St Benoît, Ste Olga

ALLER VITE LENTEMENT

Quatre coins

Les quatre mots sont formés de 4 lettres, une de chaque groupe. Les lettres du groupe 1 seront placées dans la première colonne, et ainsi de suite.

1

D I
O S

2

E O
P U

3

L P
R S

4

E E
S S

1	2	3	4

12
JUILLET

6h00 21h52

St Olivier

DOPE
IPSE
OURS
SELS

D'autres solutions
sont parfois possibles.

Hexaboules

Placez, dans le jeu les six mots de quatre lettres.

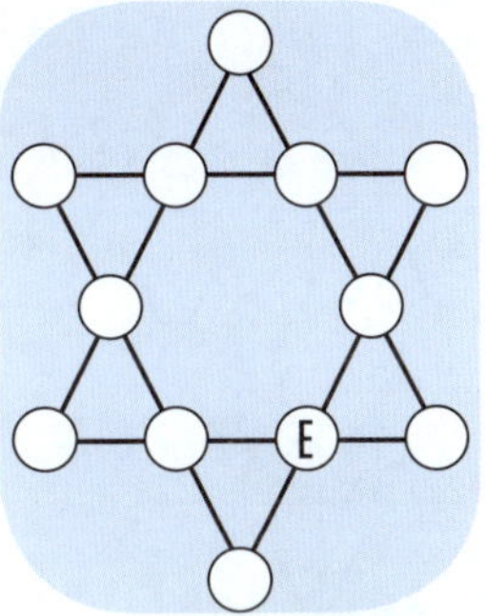

BRAS
BUIS
CIEL
SEES
TAEL
TRUC

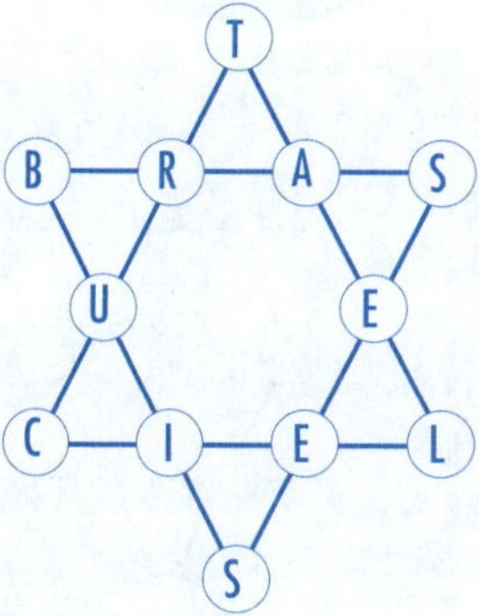
T
B
R
A
S
U
E
C
I
E
L
S

Dico-test

Il faut découvrir un mot en vous aidant des définitions données.
Votre score dépendra du nombre d'indices utilisés.

20/20

Partie du cuisseau

****

15/20

Petit morceau de graisse

****

10/20

Fruit du noyer

****

MOT DÉCOUVERT :

....

14

JUILLET

6h02 21h51

Fête nationale française
St Camille

NOIX

Trombones

En éliminant trois trombones, sans changer l'ordre des autres, vous découvrirez un mot de cinq lettres.

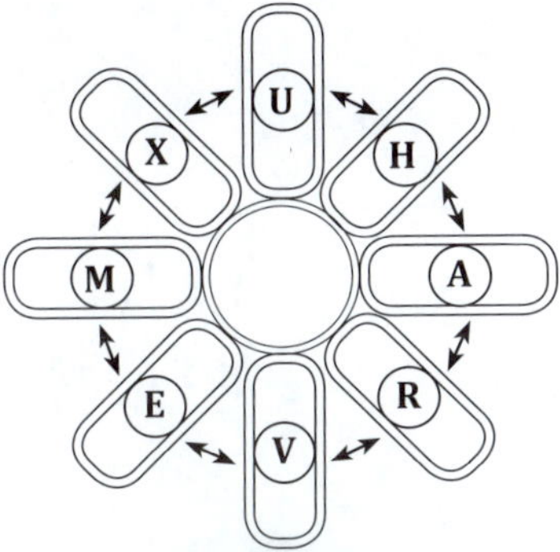

15

JUILLET

6 h 03 21 h 50

St Basile

HAREM

Deux pour un

En utilisant toutes les lettres des deux mots de chaque rangée horizontale, formez un nouveau mot. Ensuite, avec les lettres des cases colorées lues dans l'ordre, découvrez un dernier mot.

E	M	O	I	+	S	O	R	T
=								
R	A	R	E	+	C	I	E	L
=								
M	I	D	I	+	E	C	H	O
=								
S	A	I	N	+	M	O	D	E
=								

16

JUILLET

6 h 04 21 h 49

Notre-Dame du Mont Carmel

MOROSITÉ
ÉCLAIRER
HOMICIDE
NOMADISE

ce qui donne :
ÉCHO

Sudoku

Complétez la grille de sorte que chaque colonne, ligne ou carré 3x3 contienne une fois tous les chiffres de 1 à 9.

		1	8	9			6	
		6		4	1	2		8
8								9
		9			3			2
		7	1	8	9	4		
5			7			6		
1								6
6		5	2	1		9		
	2			6	5	3		

17

JUILLET

☀ 6h05 ☀ 21h48

Ste Charlotte

3	4	1	8	9	2	7	6	5
7	9	6	5	4	1	2	3	8
8	5	2	3	7	6	1	4	9
4	1	9	6	5	3	8	7	2
2	6	7	1	8	9	4	5	3
5	8	3	7	2	4	6	9	1
1	7	4	9	3	8	5	2	6
6	3	5	2	1	7	9	8	4
9	2	8	4	6	5	3	1	7

Téte à queue

À chaque mot il manque une lettre, soit celle du début, soit celle de la fin. Une fois la grille remplie, un dernier mot apparaîtra dans la rangée fléchée.

					Y	S	T	E
A	I	O	L					
					U	T	I	L
H	U	M	U					
					U	E	U	E
U	R	U	B					
					C	R	I	N

18

JUILLET

6h06 21h47

St Frédéric

KYSTE
AÏOLI
OUTIL
HUMUS
QUEUE
URUBU
ÉCRIN

ce qui donne :
KIOSQUE

Dédalo

Reliez les paires en vous déplaçant uniquement en lignes horizontales et verticales. Les lignes ne doivent ni se croiser ni se superposer.

	7			6	8			9	
	5			9					
	6			10		10		3	
								2	
		4							
		7							
		1					1		
	4	5		8	2	11		11	
								3	

19
JUILLET

6h07 21h46

St Arsène

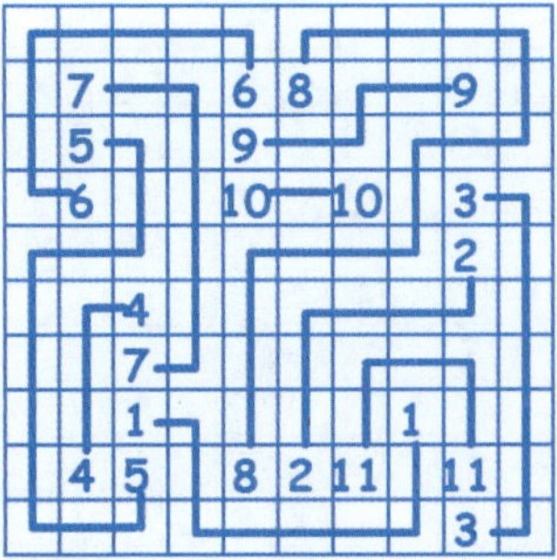

Damier

Remplacez trois lettres de chacun des deux mots par les six pions, pour former deux nouveaux mots. Un pion ne peut être utilisé qu'une seule fois.

O C E L N S

I	G	N	O	R	A	N	T	E

N	E	C	T	A	R	I	N	E

20
JUILLET

6h08 21h45

Ste Marina

INNOCENTE
SECTORIEL

D'autres solutions sont parfois possibles.

Voyelles & consonnes

En remettant à leur place, les voyelles et les consonnes, formez un mot. Ceci fait, la première rangée verticale vous donnera un dernier mot.

Voyelles	Consonnes	Mot
A A	D D N R S T	→ ☐☐☐☐☐☐☐☐☐
E E O Y	G N R X	→ ☐☐☐☐☐☐☐☐☐
E E E E	C L R V	→ ☐☐☐☐☐☐☐☐☐
E U U	C P P R T	→ ☐☐☐☐☐☐☐☐☐
E I O	C C H R R	→ ☐☐☐☐☐☐☐☐☐

21 JUILLET

☀ 6h09 ☀ 21h44

Fête nationale belge
St Daniel, St Victor

STANDARD
OXYGÉNER
ÉCERVELÉ
UPPERCUT
RICOCHER

SOEUR

Boules de billard

Avec les neuf lettres données, formez six mots qui s'inscriront sur les boules de billard, dans le sens des flèches. Certaines lettres sont déjà à la bonne place dans le jeu.

22
JUILLET

6h11 21h43

Ste Marie-Madeleine

I
DO
INN
OVNI
TURNE

IDIOT
IONIE

Il peut y avoir d'autres possibilités.

Carré magique

N'utilisez qu'une seule fois tous les chiffres compris entre 6 et 14 pour obtenir les totaux placés autour de la grille.

30 ↘	30	30	30	↙ 30
30				
30				
30	13			

23
JUILLET
6h12 21h42
Ste Brigitte

9	14	7
8	10	12
13	6	11

Cases noires

Noircissez 14 cases pour rendre cohérente cette grille de mots croisés.

E	P	A	V	E	S	F	O	U	S
M	A	R	I	N	A	I	T	R	I
A	T	R	E	S	I	C	A	N	E
I	R	E	R	U	S	A	G	E	S
L	I	T	H	I	A	S	E	N	T
E	C	A	R	T	I	S	S	E	E
S	K	I	S	E	D	E	O	S	S
A	I	T	R	E	A	R	A	S	A
N	E	E	I	O	D	E	L	E	U
A	T	R	O	C	E	M	E	N	T

24
JUILLET

6h13 21h40

Ste Christine

E	P	A	V	E	■	F	O	U	S
M	A	R	I	N	A	■	T	R	I
A	T	R	E	S	■	C	A	N	E
I	R	E	■	U	S	A	G	E	S
L	I	T	H	I	A	S	E	■	T
■	C	A	■	T	I	S	S	E	E
S	K	I	■	E	D	E	■	S	S
A	■	T	R	■	A	R	A	S	A
N	E	■	I	O	■	■	L	E	U
A	T	R	O	C	E	M	E	N	T

Bonne orthographe

Des trois mots, lequel est bien orthographié ?

1) Khmers-rouge
2) Kmers rouges
3) Khmers rouges

(Guerilleros communistes du Cambodge)

25
JUILLET

☀ 6h14 ☀ 21h39

St Jacques

3
Khmers rouges

À peu près

En vous aidant de la définition un peu tirée par les cheveux, découvrez l'énigme.

DÉFINITION :

Sur le bout de ma langue

ÉNIGME :

Signe du zodiaque

26

JUILLET

6h15 21h38

Ste Anne, St Joachim

GÉMEAUX
(J'AI MOT)

Mots en croix

En utilisant, UNE SEULE FOIS, les 9 lettres ci-dessous, vous devez compléter le tableau de façon à former trois mots horizontaux qui se croiseront avec les trois mots verticaux.

I	I	N	O	Q	Q	R	U	U

		S	P	T		
		E	L	R		
C	O				N	E
J	O				A	L
Q	U				U	E
		I	E	U		
		A	L	E		

27

JUILLET

6h17 21h37

Ste Nathalie

		S	P	T		
		E	L	R		
C	O	Q	U	I	N	E
J	O	U	R	N	A	L
Q	U	O	I	Q	U	E
		I	E	U		
		A	L	E		

Bonne addition

Placez judicieusement les huit chiffres pour résoudre toutes les additions.

1	2	◯	+	◯	+	3	=	13
		+		+		+		
4	5	◯	+	◯	+	◯	=	22
6	7	+		+		+		
8	9	◯	+	◯	+	◯	=	10
		=		=		=		
		14		18		13		

Plusieurs solutions sont parfois possibles.

28

JUILLET

☀ 6h18 ☀ 21h35

St Samson

4	6	3
8	5	9
2	7	1

Labyrinthe

Allez de la case A à la case B en totalisant 41 points. Attention : le chemin ne doit utiliser qu'une seule fois un même chiffre.

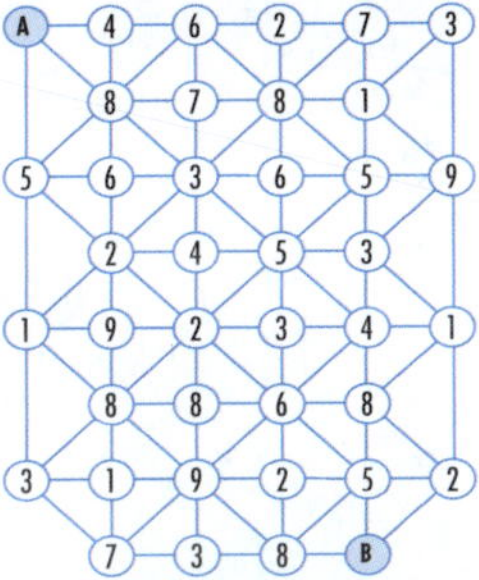

29

JUILLET

☀ 6h19 ☀ 21h34

Ste Marthe

5-1-3-7-9-6-8-2

Sudoku

Complétez la grille de sorte que chaque colonne, chaque ligne et chaque carré 3x3 contienne une seule fois tous les chiffres de 1 à 9.

			5	7				
2					8			
	1	9						
		7			6			8
	4			3		5		
	3	1			2	7		
7			8			3		
3			6	4				2
	6			2				5

30

JUILLET

6 h 21 21 h 33

Ste Juliette

6	8	3	5	7	4	2	1	9
2	7	5	9	1	8	6	4	3
4	1	9	2	6	3	8	5	7
9	2	7	1	5	6	4	3	8
8	4	6	7	3	9	5	2	1
5	3	1	4	8	2	7	9	6
7	5	2	8	9	1	3	6	4
3	9	8	6	4	5	1	7	2
1	6	4	3	2	7	9	8	5

Carte de visite

Remettez dans le bon ordre les lettres composant le nom d'un personnage célèbre.

Pierre Chaucate

Réalisateur français
(1944 - 2013)

31
JUILLET

☀ 6h22 ☀ 21h31

St Ignace de Loyola

PATRICE CHEREAU

Mots en croix

En utilisant, UNE SEULE FOIS, les 9 lettres ci-dessous, vous devez compléter le tableau de façon à former trois mots horizontaux qui se croiseront avec les trois mots verticaux.

D	D	E	I	I	I	R	S	T

		V	N	E		
		E	U	D		
G	A				E	N
M	E				E	R
C	U				U	R
		C	T	U		
		T	E	R		

1er
AOÛT

6 h 23 21 h 30

Fête nationale suisse
St Alphonse

		V	N	E		
		E	U	D		
G	A	R	D	I	E	N
M	E	D	I	T	E	R
C	U	I	S	E	U	R
		C	T	U		
		T	E	R		

Mots détachés

Retrouvez les 14 mots découpés en 3 groupes de 3 lettres.
Il restera alors 3 groupes formant un nouveau mot.

TIM	NES	EPO	ISE	REE
IMP	RES	GES	IER	FRE
TTE	RIE	SIL	NTS	REG
UVA	BAL	REA	EES	MAL
INE	NTE	REL	IER	IME
POT	ONE	ANI	SES	BLE
FFA	BAL	RIE	INE	EGU
DAI	REC	LAN	ANC	SSU
MUT	DAI	AGE	OTA	AYE

1....... ANIMALIER
2....... BALANCIER
3....... BALAYETTE
4....... ÉPOUVANTE
5....... FREDAINES
6....... IMPRÉCISE
7....... INEFFABLE
8....... LANDAISES
9....... POTAGÈRES
10....... RÉASSURÉE
11....... RÉGIMENTS
12....... RELÉGUÉES
13....... SILOTAGES
14....... TIMONERIE

Le mot découvert est : ....

2
AOÛT

6h25 21h28

St Julien

MUTINERIE

Quatre coins

Prenez une lettre dans chaque coin et alignez-les sur chaque ligne pour former des mots.

D G A H		1	2	3	4		I I M R
1							3
2							4
E R E U							E N R L

3

AOÛT

6 h 26 — 21 h 27

Ste Lydie

AMEN
DRUE
GIRL
HIER

D'autres solutions
sont parfois possibles.

Chiffres

Placez les 4 signes entre les chiffres pour obtenir le total demandé.

1	7	10	12	25

+	-	x	:

Total à trouver : 102

4
AOÛT
6h27 21h25
St Jean-Marie Vianney

10 X 12 - 25 + 7 : 1

Sudoku

Complétez la grille de sorte que chaque colonne, ligne ou carré 3x3 contienne une fois tous les chiffres de 1 à 9.

						8	7	2
		8	6		2		3	
6				7		9	5	
	5		1				2	
7			9					8
				3	8		9	7
				1		5	4	
				9				3

5

AOÛT

6h29 21h24

St Abel

3	2	4	7	8	9	6	1	5
5	9	6	3	4	1	8	7	2
1	7	8	6	5	2	4	3	9
6	3	2	8	7	4	9	5	1
8	5	9	1	6	3	7	2	4
7	4	1	9	2	5	3	6	8
2	6	5	4	3	8	1	9	7
9	8	3	2	1	7	5	4	6
4	1	7	5	9	6	2	8	3

Boules perdues

En utilisant toutes les lettres du jeu, vous devez découvrir et placer six mots de quatre lettres.

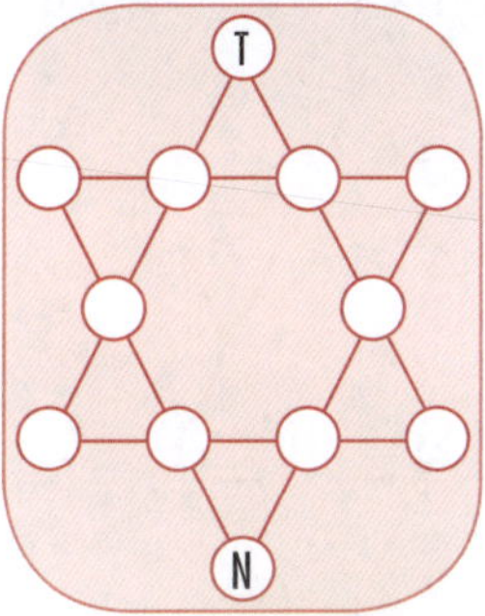

A O
G R
I S
N T
O T

6
AOÛT

6 h 30 21 h 22

St Octavien

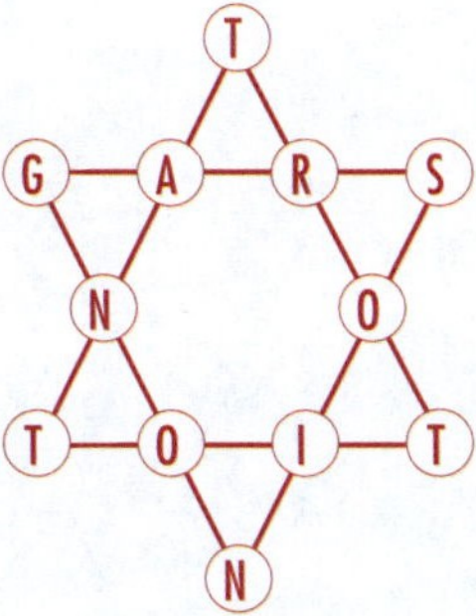
T
G
A
R
S
N
O
T
O
I
T
N

Damier

Remplacez judicieusement trois lettres de chacun des deux mots par les six pions, pour former deux nouveaux mots. Un même pion ne peut être utilisé qu'une seule fois.

A	D	J	R	U	U

É	L	O	C	U	T	I	O	N
M	Y	S	T	I	F	I	É	E

7
AOÛT
6h31 21h21
St Gaétan

ÉDUCATION
JUSTIFIER

D'autres solutions
sont parfois possibles.

Anagrille

Placez dans la grille l'anagramme des lettres données.
Commencez par les mots de deux et trois lettres.

HORIZONTALEMENT

A) AACEHNNRTT
B) AEILRRS - TE
C) EET - AEELRT
D) IM - BEEOS
E) BEERSV - ANT
F) EELSV - EENR
G) AIRS - AELNP
H) AOS - AELMNU
I) EEGNOP
J) EEELSSSSTV

	1	2	3	4	5	6	7	8	9	10
A										
B								■		
C				■						
D			■						■	
E							■			
F						■				
G					■					
H				■						
I		■							■	
J										

VERTICALEMENT

1) BEILMNORST
2) AEEIRRRT
3) AEL - AEEESV
4) IN - EOSV - LP
5) ABCERS - TMO
6) AEHLS - AENP
7) AESS - AGNRS
8) EEENRSTU
9) ETT - AEEN
10) EEEELLNRST

8

AOÛT

6 h 33 21 h 19

St Dominique

T	R	A	N	C	H	A	N	T	E
R	E	L	I	R	A	S	■	E	T
E	T	E	■	A	L	E	R	T	E
M	I	■	O	B	E	S	E	■	R
B	R	E	V	E	S	■	T	A	N
L	E	V	E	S	■	R	E	N	E
I	R	A	S	■	P	A	N	E	L
O	A	S	■	M	A	N	U	E	L
N	■	E	P	O	N	G	E	■	E
S	V	E	L	T	E	S	S	E	S

Trombones

En éliminant trois trombones, sans changer l'ordre des autres, vous découvrirez un mot de cinq lettres.

SPORT

Cases noires

Noircissez 12 cases pour rendre cohérente cette grille de mots croisés.

P	O	R	T	I	L	L	O	N	S
A	S	E	R	V	I	E	R	O	I
R	E	T	I	R	E	R	A	I	S
T	R	A	M	I	S	E	N	S	E
E	A	M	E	S	S	A	G	E	R
N	I	E	R	A	S	E	E	S	T
A	E	R	A	T	E	U	R	B	I
I	S	E	B	I	L	E	A	N	E
R	O	Z	E	N	E	P	I	O	N
E	N	O	T	E	N	T	E	E	S

10

AOÛT

6h36 21h16

St Laurent

P	O	R	T	I	L	L	O	N	S
A	S	E	R	■	I	■	R	O	I
R	E	T	I	R	E	R	A	I	S
T	R	A	M	■	S	E	N	S	E
E	A	M	E	S	■	A	G	E	■
N	I	E	R	A	S	■	E	S	T
A	E	R	A	T	E	U	R	■	I
I	S	E	■	I	L	■	A	N	E
R	■	Z	E	N	■	P	I	O	N
E	N	■	T	E	N	T	E	E	S

Cinq sur douze

Les 25 lettres permettent d'écrire 5 mots de la liste. Lesquels ?
Chaque lettre ne doit être utilisée qu'une fois.

E	G	S	B	T
L	S	E	S	I
S	P	I	S	O
M	O	S	S	O
E	R	O	I	A

ACCES
AGACE
GOBAS
IPSOS
LAIDS
LOTIR
MESSE
NEFLE
RIDES
SOIES
TIERS
XERES

11
AOÛT
6h37 21h14
Ste Claire

GOBAS
IPSOS
LOTIR
MESSE
SOIES

D'autres solutions
sont parfois possibles.

Tête à queue

Complétez chaque mot pour faire apparaître un dernier mot dans la rangée verticale.

					A	U	T	S
L	E	S	T					
					E	S	E	R
S	E	R	T					
					E	N	D	S
D	A	I	N					
					C	E	N	E

12

AOÛT

6h38 21h12

Ste Clarisse

SAUTS
LESTA
LÉSER
SERTI
VENDS
DAINE
SCÈNE

ce qui donne : SALIVES

Échelle

Complétez la grille avec les lettes proposées de façon à composer 5 mots horizontaux et 2 mots verticaux.

A	A	E	E	G	N	R	R	T	T

	R	I	
	A	N	
	I	T	
	D	E	
	O	I	

13

AOÛT

6h40 21h10

St Hippolyte

A	R	I	A
R	A	N	G
R	I	T	E
E	D	E	N
T	O	I	T

Dictionnaire

Quel nom commun vient logiquement s'intercaler entre les deux mots cités dans les pages d'un dictionnaire ?

TEMPS

☐☐☐☐☐☐☐

TENABLE

14
AOÛT
6h41 21h09
St Évrard

TEMPURA

Boules de billard

Placez les neuf lettres pour former six mots dans le sens des flèches. Certaines lettres sont déjà à la bonne place dans le jeu.

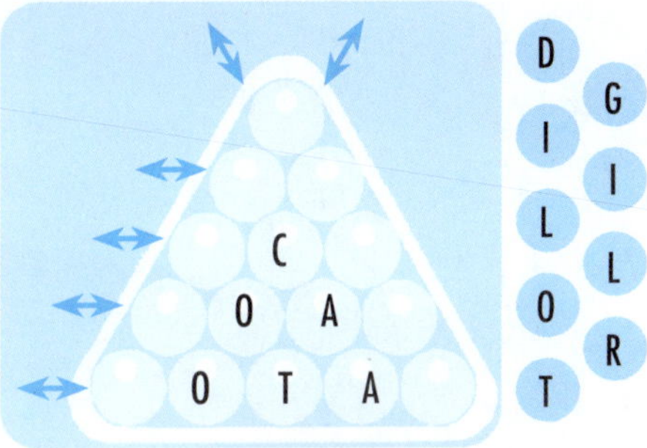

15
AOÛT

6h43 21h07

Assomption • Ste Marie

D
OR
ICI
GOAL
TOTAL

DOIGT
DRILL

Il peut y avoir d'autres possibilités.

Mots

Trouvez au moins 40 mots de 3 lettres minimum en utilisant des lettres mitoyennes en vertical, horizontal ou diagonal. Exemple : DENT

E	G	L	D
M	A	I	E
Y	R	T	N
S	E	T	O

16

AOÛT

6h44 21h05

St Armel

DENT - DENTERAIT - LIEN - ÉDITERA -
DÉLIT - DÉLITER - YÉTI - RAYES - ÉGAYER -
TONTES - NOTES - NOTERAIT - LITRES -
LIAT - ÉGALITÉS - ÉGALENT - AGILE - MAGIE -
DIRES - LIRES - AIRES - MAIRES - MATON -
MALIN - ÔTERAIT - GIN - GAÎTÉ - GARES -
GÂTES - DÉLIA - GAINE - MÂLE - AYS -
LETTRES - NÔTRE - SERTIE - GÎTES -
RÂLES - TRAIN - TRAÎNE - TRIENT - ÉTALENT -
ÉTAI - ÉTAGE - MARE - MATIN -
MÂTINE - RATINE - RATON - MAÎTRES -
ÉLIRE - TENTES - TÉTINE...

Cases noires

Noircissez 13 cases pour rendre cohérente cette grille de mots croisés.

A	L	L	O	C	A	T	I	O	N
N	O	U	E	U	S	E	B	R	U
T	U	L	I	R	E	R	T	E	R
E	P	I	L	E	F	R	A	I	S
C	E	P	R	E	T	O	I	L	E
E	V	E	R	S	A	S	E	L	R
D	E	C	U	A	L	E	S	E	R
E	L	A	N	C	E	E	T	R	E
N	U	B	E	R	G	E	O	S	E
T	E	N	S	I	O	N	S	O	L

17

AOÛT

6h45 21h03

Ste Jeanne

A	L	L	O	C	A	T	I	O	N
N	O	U	E	U	S	E		R	U
T	U		I	R	E		T	E	R
E	P	I	L	E		R	A	I	S
C	E	P		E	T	O	I	L	E
E		E	R	S		S	E	L	
D	E	C	U		L	E	S	E	R
E	L	A	N	C	E	E		R	E
N	U		E	R	G		O	S	E
T	E	N	S	I	O	N	S		L

Carré magique

N'utilisez qu'une seule fois tous les chiffres compris entre 2 et 26 pour obtenir les totaux placés autour de la grille.

	70	70	70	70	70
70					
70					9
70					
70		13			
70					

↗ 70 ↖ 70

18

AOÛT

6h47 21h01

Ste Hélène

5	20	26	16	3
17	7	22	15	9
4	18	14	10	24
19	13	6	21	11
25	12	2	8	23

Quatre coins

Les quatre mots sont formés de 4 lettres, une de chaque groupe. Les lettres du groupe 1 seront placées dans la première colonne, et ainsi de suite.

Groupe 1 : A E O R

Groupe 2 : I M N V

Groupe 3 : A I M O

Groupe 4 : E L N S

1	2	3	4

19

AOÛT

6h48 20h59

St Jean Eudes

AMAS
ENOL
OVIN
RIME

D'autres solutions
sont parfois possibles.

Dédalo

Reliez les paires en vous déplaçant uniquement en lignes horizontales et verticales. Les lignes ne doivent ni se croiser ni se superposer.

	3				4			8	
							6		
		1							
	2	1	2						
			5	4	3				
			7				5		
	8								
							7	6	

20

AOÛT

6 h 50 — 20 h 58

St Bernard

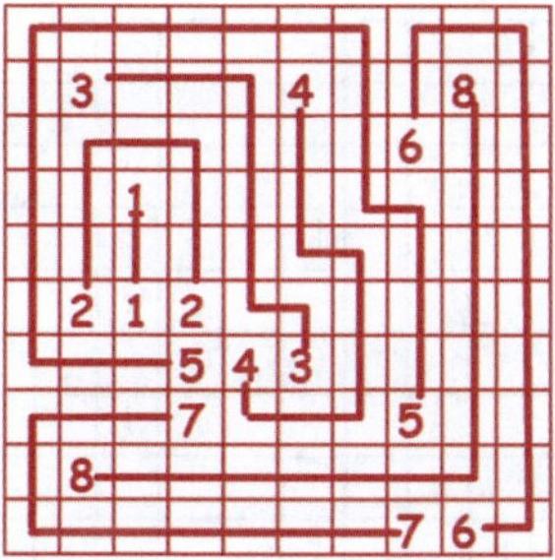

Dico-test

Découvrez un mot en vous aidant des définitions données. Votre score dépendra du nombre d'indices utilisés.

20/20

Éveille la méfiance

****

15/20

Atteint de strabisme

****

10/20

Grande cuillère

****

MOT DÉCOUVERT :

....

21

AOÛT

6 h 51 20 h 56

St Christophe

LOUCHE

Addition

Complétez le tableau avec les chiffres proposés de façon à ce que les additions soient justes.

1	2	3	5	6	7	8	9

	+	4	+		=	20
+		+		+		
	+		+		=	15
+		+		+		
	+		+		=	10
=		=		=		
15		15		15		

22

AOÛT

6 h 52 20 h 54

St Fabrice

7	4	9
2	8	5
6	3	1

Galerie

Complétez les noms en barrant les lettres dans la grille du bas. Les lettres restantes, vous donneront un dernier mot.

Thème : poissons

G	O					■	A	I	G		I			E
		B	R	E	■	S	Y	N					H	E
P	E				E	■	S	U				L	E	
H	A		E			■	G	R	E		I			E
M	E			U	■	L		R	I			I		E

G	J	L	G	C	R	R	N	V	A	U	A
R	I	O	T	U	M	V	T	L	U	C	E
O	N	M	R	A	L	H	L	L	R	O	N

23

AOÛT

6h54 20h52

Ste Rose

GOUJON
AIGUILLE
LABRE
SYNGNATHE
PERCHE
SURMULET
HARENG
GRÉMILLE
MEROU
LORICAIRE

ce qui donne :
VIVE

Faites vos comptes

Complétez cette grille de mots croisés, sachant que chaque lettre a une valeur en points et que le total de chaque mot est donné.

Le mot MERCI figure dans la grille.

A = 7	N = 1
C = 10	O = 9
E = 2	R = 5
G = 11	T = 6
I = 8	U = 4
M = 3	

	28	20	28	10	12	
15					N	
22				T		
26	T					
20		N		■		2
24						
				11		

24

AOÛT

6 h 55 20 h 50

St Barthélemy

R	U	M	E	N
A	R	E	T	E
T	I	R	E	R
O	N	C		E
N	E	I	G	E

Sudoku

Complétez la grille de sorte que chaque colonne, chaque ligne et chaque carré 3x3 contienne une seule fois tous les chiffres de 1 à 9.

		6					1	
8	7							
						3		5
	9				8			2
		1			7	5		9
		4		6		7		
6					9		7	
4	2			1			9	
	1			8				4

25
AOÛT

6 h 57 · 20 h 48

St Louis

3	5	6	2	9	4	8	1	1
8	7	2	5	3	1	9	4	6
1	4	9	8	7	6	3	2	5
7	9	3	1	5	8	4	6	2
2	6	1	3	4	7	5	8	9
5	8	4	9	6	2	7	3	1
6	3	5	4	2	9	1	7	8
4	2	8	7	1	5	6	9	3
9	1	7	6	8	3	2	5	4

Dédalo

Reliez chaque paire de chiffres par une ligne horizontale et/ou verticale (mais pas en diagonale) sans que les tracés de ces lignes ne se croisent ni se superposent.

	3								
	1								
				4	3				
			5	2	5				
	6	7	6						
		7							
				2			1		
									4

26

AOÛT

6 h 58 20 h 46

Ste Natacha

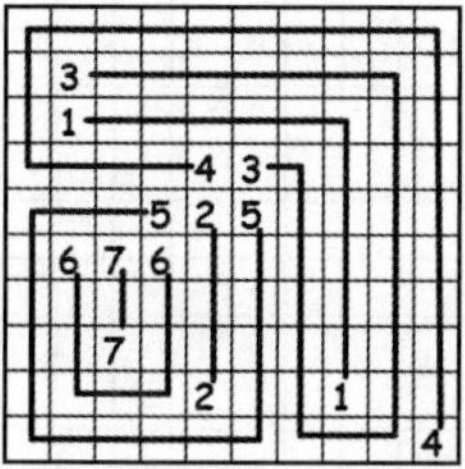
3
1
4 3
5 2 5
6 7 6
7
2 1
4

Lettre centrale

Regroupez les rectangles deux par deux pour former six mots de sept lettres en ajoutant au milieu une des lettres de la liste.

E F I L T U

PAL	ETA			
MEN	EES			
ADD	MOU			
HOL	LET			
TIF	RON			
REC	EIL			

27
AOÛT
7h00 20h44
Ste Monique

ADDITIF
PALERON
MOUFLET
ÉTALÉES
MENTHOL
RECUEIL

Trombones

En éliminant trois trombones, sans changer l'ordre des autres, vous découvrirez un mot de cinq lettres.

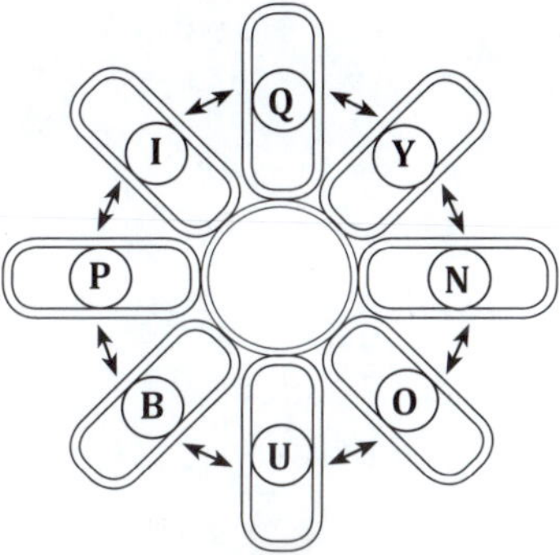

28
AOÛT

7 h 01 20 h 42

St Augustin

YOUPI

Lettres absentes

Avec les lettres qui ne figurent pas dans cette grille, formez un ou plusieurs mots.

G	X	P	S	I	M	H	L	F	P	S
W	J	D	P	S	I	K	J	S	N	D
X	C	I	H	L	N	F	P	S	V	G
K	J	N	M	H	L	G	X	M	J	H
L	W	J	G	X	P	D	O	V	K	M
L	G	K	M	F	C	F	Y	O	P	S
V	X	F	C	W	N	D	X	G	X	M
Y	O	C	Z	Y	W	J	H	Z	H	I

29
AOÛT

7 h 02 20 h 40

Ste Sabine

BRAQUET

Lettre finale

Placez dans la seconde grille l'anagramme des mots de la première grille. Vous verrez apparaître un nouveau mot dans la colonne verticale fléchée.

↕

B	A	I	S	E	R						
T	R	A	C	E	E						
P	O	U	L	E	S						
V	E	R	I	T	E						
S	E	R	T	I	S						
U	T	I	L	E	S						
P	I	E	C	E	S						

30

AOÛT

☀ 7h04 ☀ 20h38

St Fiacre

BRAISE
ÉCARTE
LOUPES
ÉVITER
TISSER
TUILES
ÉPICES

ce qui donne :
BELETTE

Mots en croix

En utilisant, UNE SEULE FOIS, les 9 lettres ci-dessous, vous devez compléter le tableau de façon à former trois mots horizontaux qui se croiseront avec les trois mots verticaux.

A	C	D	E	E	N	R	T	U

		D	P	R		
		O	I	O		
J	O				A	L
M	A				A	M
Q	U				U	R
		U	E	U		
		R	R	R		

31

AOÛT

7 h 05 20 h 36

St Aristide

		D	P	R		
		O	I	O		
J	O	U	R	N	A	L
M	A	C	A	D	A	M
Q	U	E	T	E	U	R
		U	E	U		
		R	R	R		

Le boulier

Placez les chiffres sur le boulier en ne les utilisant qu'une seule fois.

0	1	1	1	1	3	4	5	5	6	7	8	8	9	9	

Année de la 1e ascension du sommet de l'Everest ?

Durée de gestation de l'éléphant (en jours) ?

Année de la 1e victoire du Brésil en Coupe du monde de football ?

Année de naissance de Paul Valéry ?

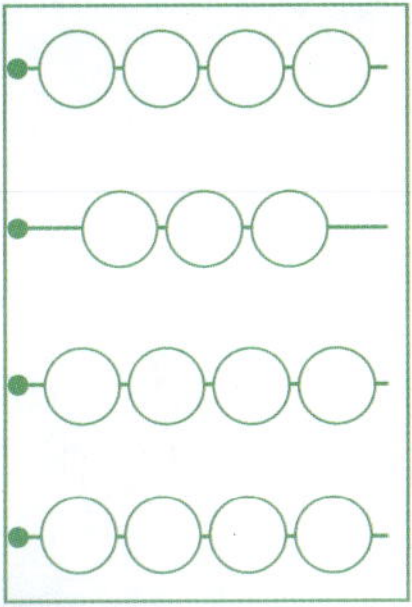

1er

SEPTEMBRE

7h07 20h34

St Gilles

1953
640
1958
1864

Dédalo

Reliez les paires en vous déplaçant uniquement en lignes horizontales et verticales. Les lignes ne doivent ni se croiser ni se superposer.

	3			7					
		2	5	6			6		
			1	7					
			4						
				5					4
									1
							2		
								3	

2

SEPTEMBRE

7 h 08 20 h 32

Ste Ingrid

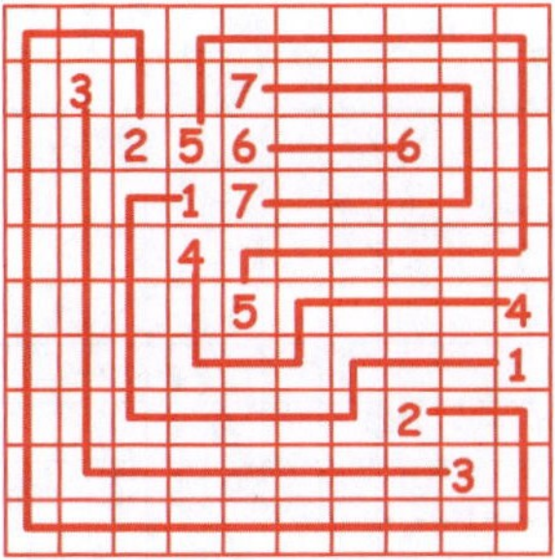

7
3
2 5 6 6
1 7
4
5 4
1
2
3

Téte à queue

À chaque mot il manque une lettre, soit celle du début, soit celle de la fin. Une fois la grille remplie, un dernier mot apparaîtra dans la rangée fléchée.

					A	G	N	E
T	A	I	G					
					U	T	O	R
G	U	Z	L					
					A	D	I	N
I	N	O	U					
					A	B	A	C

3

SEPTEMBRE

7 h 09 20 h 30

St Grégoire

GAGNE
TAÏGA
BUTOR
GUZLA
RADIN
INOUÏ
TABAC

ce qui donne :
GABARIT

Approximation

En vous aidant de la définition un peu tirée par les cheveux, découvrez l'énigme.

Définition :
Félin très fin

Énigme :
Pain séché et émiettté

4
SEPTEMBRE
7h11 20h28
Ste Rosalie

CHAPELURE
CHAT - PELURE

Cinq sur douze

Les 25 lettres permettent d'écrire 5 mots de la liste. Lesquels ?
Chaque lettre ne doit être utilisée qu'une fois.

N	I	L	E	L
N	E	U	S	S
E	P	E	C	R
N	O	F	A	A
I	L	A	V	T

ARLES
AVANT
CYCLE
ELFES
MOISI
NEANT
ONCLE
ORDRE
PERDU
PLEIN
RUAIS
SISES

5
SEPTEMBRE
☀ 7h12 ☀ 20h26
Ste Raïssa

AVANT
ELFES
ONCLE
PLEIN
RUAIS

D'autres solutions sont
parfois possibles.

Cases noires

Noircissez 14 cases pour rendre cohérente
Ocette grille de mots croisés.

L	A	M	P	A	D	A	I	R	E
U	S	I	N	E	R	A	S	A	T
M	E	N	E	R	F	R	O	S	E
I	T	A	U	E	R	N	L	O	T
N	O	I	S	E	M	M	A	R	E
E	R	S	E	S	A	U	T	E	R
U	N	I	A	S	U	T	I	L	E
S	E	I	M	E	T	E	O	N	N
E	R	R	E	V	E	R	N	S	T
S	A	I	N	B	L	A	S	E	R

6

SEPTEMBRE

7h14 20h23

St Bertrand

L	A	M	P	A	D	A	I	R	E
U	S	I	N	E		A	S		T
M	E	N	E	R		R	O	S	E
I		A	U	E	R		L	O	T
N	O	I	S	E		M	A	R	E
E	R	S		S	A	U	T	E	R
U	N		A		U	T	I	L	E
S	E		M	E	T	E	O		N
E	R	R	E		E	R	N	S	T
S	A	I		B	L	A	S	E	

Bonne orthographe

Des trois mots, lequel est bien orthographié ?

1) HOME
2) OHM
3) HEAUME

(Unité de résistance électrique)

7

SEPTEMBRE

☀ 7h15 ☀ 20h21

Ste Reine

2
OHM

Quiz

Dans quel film entend-on ces répliques cultes ?

A - « Bonchoir Biloute Heiiin ! »

B - « Y'a point de pourrissement qui résiste avec la pâte à dents. »

8

SEPTEMBRE

7h17 20h19

St Adrien

A - Bienvenue chez les Ch'tis
B - Les Visiteurs

Quatre coins

Les quatre mots sont formés de 4 lettres, une de chaque groupe. Les lettres du groupe 1 seront placées dans la première colonne, et ainsi de suite.

A	C
M	N

1

1	2	3	4

E	O
M	N

2

3

K	L
N	S

4

A	E
S	T

9

SEPTEMBRE

☀ 7h18 ☀ 20h17

St Alain

ASSE
CENT
MOKA
NULS

D'autres solutions
sont parfois possibles.

Chemin des mots

Placez les neuf lettres proposées dans les cases blanches pour former horizontalement, verticalement et en diagonale huit mots de cinq lettres.

A	C	E	E	K	L	O	R	S

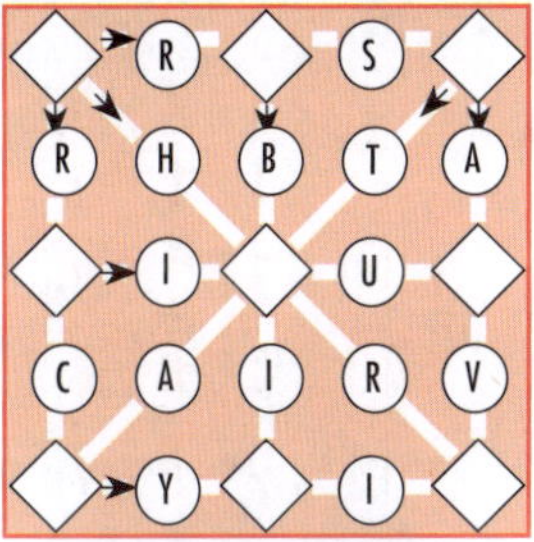

10

SEPTEMBRE

7h19 20h15

Ste Inès

C	R	O	S	S
R	H	B	T	A
A	I	E	U	L
C	A	I	R	V
K	Y	R	I	E

Labyrinthe

Partez de la case 1 et trouvez le chemin qui vous conduira à la case 2 en formant un mot.
Attention : n'utiliser qu'une seule fois une même lettre.

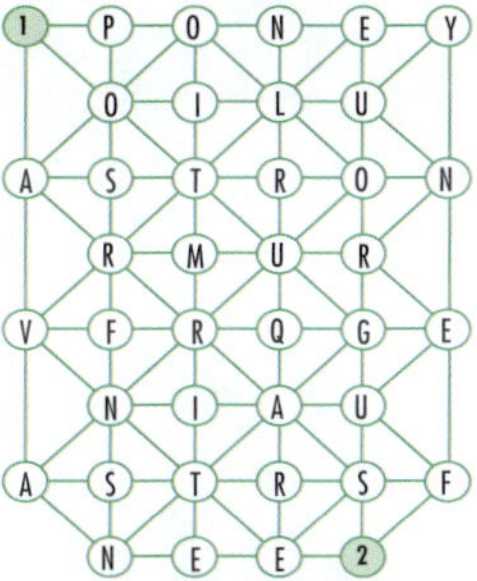

11
SEPTEMBRE
7h21 20h13
St Adelphe

ASTRONEF

Échelle

Complétez la grille avec les lettres proposées de façon à composer 5 mots horizontaux et 2 mots verticaux.

A	B	C	E	E	N	N	O	T	T

↓			↓
	A	I	
	U	T	
	H	O	
	A	L	
	L	F	

12
SEPTEMBRE

7h22 20h11

St Apollinaire

B	A	I	N
A	U	T	O
T	H	O	N
T	A	L	C
E	L	F	E

Deux pour un

En utilisant toutes les lettres des deux mots de chaque rangée horizontale, formez un nouveau mot. Ensuite, avec les lettres des cases colorées lues dans l'ordre, découvrez un dernier mot.

T	R	E	S	+	N	O	E	L
=							■	
M	E	R	E	+	T	O	U	R
=								■
R	O	T	A	+	B	A	T	I
=	■							
L	I	C	E	+	A	N	A	L
=							■	

13

SEPTEMBRE

☀ 7h24 ☀ 20h09

St Aimé

ENTRESOL
OUTREMER
ABATTOIR
CANAILLE

ce qui donne
ORAL

Dico-test

Il faut découvrir un mot en vous aidant des définitions données. Votre score dépendra du nombre d'indices utilisés.

20/20

Configuration

****

15/20

Condition physique

****

10/20

Contient le fond

****

MOT DÉCOUVERT :

....

14

SEPTEMBRE

7 h 25 20 h 07

Croix glorieuse

FORME

Addition

Complétez le tableau avec les chiffres proposés de façon à ce que les additions soient justes.

1	3	4	5	6	7	8	9

☐	+	☐	+	☐	=	22
+		+		+		
☐	+	2	+	☐	=	15
+		+		+		
☐	+	☐	+	☐	=	8
=		=		=		
19		14		12		

15
SEPTEMBRE

7h26 20h04

St Roland

8	9	5
7	2	6
4	3	1

Galerie

Complétez les noms du sujet proposé en barrant les lettres dans la grille du bas. Ceci fait, les lettres restantes, lues dans l'ordre, vous donneront un dernier mot.

Thème : oiseaux

B					Z		R	D	■		E	R		E
F		I		A		D	E	A		■		R		E
C		R		E	I		L	E	■		R	I		E
	O	U	■		O		R	T	E	R	E			E
	A			R	D	■	C		E		E		H	E

L	C	A	P	G	B	E	N	A	R	U	G
D	M	A	L	L	R	F	U	C	A	I	H
O	V	S	X	T	N	V	N	L	U	L	U

16

SEPTEMBRE

☀ 7h28 ☀ 20h02

Ste Édith

BALBUZARD
MERLE
FAISANDEAU
GRUE
CORNEILLE
GRIVE
FOU
TOURTERELLE
CANARD
CHEVÈCHE

ce qui donne :
PERDRIX

Labyrinthe

Partez de la case 1 et trouvez le chemin
qui vous conduira à la case 2 en formant un mot.
Attention : n'utiliser qu'une seule fois une même lettre.

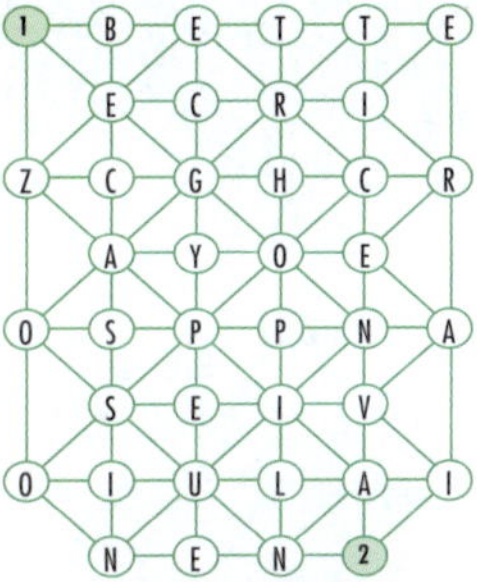

17
SEPTEMBRE
7 h 29 20 h 00
St Renaud

BÉGONIA

Mots en croix

En utilisant, UNE SEULE FOIS, les 9 lettres ci-dessous, vous devez compléter le tableau de façon à former trois mots horizontaux qui se croiseront avec les trois mots verticaux.

D	D	E	I	I	I	R	S	T

		S	M	B		
		A	O	O		
C	O				A	L
A	D				I	F
T	O				R	A
		N	T	U		
		E	E	X		

18

SEPTEMBRE

7h31 19h58

Ste Océane

		S	M	B		
		A	O	O		
C	O	R	D	I	A	L
A	D	D	I	T	I	F
T	O	I	S	E	R	A
		N	T	U		
		E	E	X		

Sudoku

Complétez la grille de sorte que chaque colonne, ligne ou carré 3x3 contienne une fois tous les chiffres de 1 à 9.

				8				
							3	
9			5					1
5								
2						8		6
		1				3	4	7
	9		4	7		1		
		4			6			5
1		7		2			9	3

19
SEPTEMBRE

7h32 19h56

Ste Émilie

7	5	6	3	8	1	9	2	4
4	1	2	6	9	7	5	3	8
9	3	8	5	4	2	6	7	1
5	4	3	7	6	8	2	1	9
2	7	9	1	3	4	8	5	6
6	8	1	2	5	9	3	4	7
8	9	5	4	7	3	1	6	2
3	2	4	9	1	6	7	8	5
1	6	7	8	2	5	4	9	3

Jeu de position

Retrouvez les deux étoiles entourées des mêmes chiffres et lettres.

	1	2	3	4	5	6	7	8	9
A	M	*	N	*	S	*	5	*	D
B	*	A	*	7	*	Y	*	U	*
C	5	*	R	*	4	*	B	*	8
D	*	9	*	T	*	0	*	2	*
E	4	*	1	*	I	*	6	*	Z
F	*	2	*	S	*	A	*	4	*
G	V	*	K	*	3	*	L	*	7
H	*	S	*	4	*	1	*	C	*
I	7	*	Y	*	6	*	J	*	1
J	*	4	*	N	*	9	*	8	*

20
SEPTEMBRE

7h34 19h54

St Jean-Charles

B5 et I2

Trombones

En éliminant trois trombones, sans changer l'ordre des autres, vous découvrirez un mot de cinq lettres.

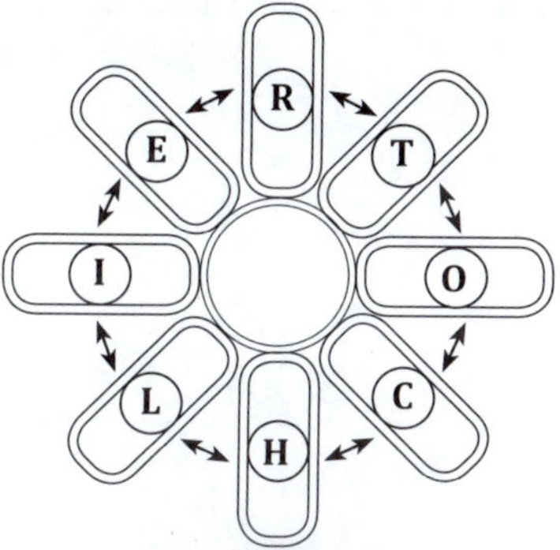

21
SEPTEMBRE
7h35 19h52
St Matthieu

ROCHE

Lettre centrale

Regroupez les rectangles deux par deux pour former six mots de sept lettres en ajoutant au milieu une des lettres de la liste.

(E) (G) (L) (N) (S) (T)

SOU	PLO
GRO	ABA
GER	TES
POI	CIS
NON	IND
SON	TRE

	◯	
	◯	
	◯	
	◯	
	◯	
	◯	

22

SEPTEMBRE

7h36 19h49

Automne • St Maurice

ABATTRE
GROGNON
INDÉCIS
POISSON
PLONGER
SOULTES

Jeu de lettres

Trouvez 5 anagrammes de 5 lettres
sachant que chaque numéro représente la même lettre
et que les numéros 1 et 3 sont des voyelles.

1	2	3	4	5
2	3	5	1	4
2	3	4	1	5
4	1	2	3	5
4	3	2	1	5

23
SEPTEMBRE

7h38 19h47

St Constant

ÉMIRS
MISER
MIRES
REMIS
RIMES

Chiffres

Pourrez-vous résoudre cette opération ?

?	5	?
x		5
7	?	5

24

SEPTEMBRE

7h39 19h45

St Anatole

159 X 5 = 795

Cases noires

Noircissez 13 cases pour rendre cohérente cette grille de mots croisés.

L	I	N	G	O	T	I	E	R	E
E	C	A	R	T	E	S	S	O	N
G	I	T	E	R	O	T	R	U	C
A	V	A	B	A	T	R	A	T	A
L	A	L	A	N	D	E	T	E	S
E	V	E	N	T	E	S	O	S	T
M	A	L	I	E	N	S	V	A	R
E	L	O	I	T	A	X	E	R	A
N	A	I	N	R	I	E	L	E	I
T	A	L	O	N	N	E	U	R	S

25

SEPTEMBRE

7h41 19h43

St Hermann

L	I	N	G	O	T	I	E	R	E
E	C	A	R	T	E	S	■	O	N
G	I	T	E	R	■	T	R	U	C
A	■	A	B	A	■	R	A	T	A
L	A	L	A	N	D	E	■	E	S
E	V	E	N	T	E	S	■	S	T
M	A	■	■	E	N	■	V	■	R
E	L	O	I	■	A	X	E	R	A
N	■	I	N	R	I	■	L	E	I
T	A	L	O	N	N	E	U	R	S

Lettres de mon moulin

Avec les 24 lettres placées autour du moulin formez 6 mots de 4 lettres. Une lettre ne peut être utilisée qu'une seule fois et chaque mot doit être composé de quatre lettres différentes.

A	A	A	A	A	C
Y					C
T					E
S					E
S					F
R					I
R					I
R	R	P	N	M	M

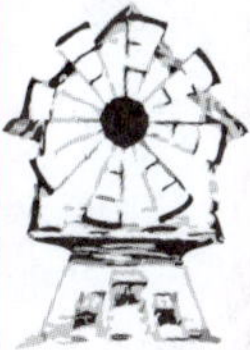

26

SEPTEMBRE

7h42 19h41

St Côme, St Damien

AMER
ARCS
FRIT
MARC
NIAS
PAYE

D'autres solutions sont possibles

Damier

Remplacez judicieusement trois lettres de chacun des deux mots par les six pions, pour former deux nouveaux mots. Un même pion ne peut être utilisé qu'une seule fois.

B	E	M	R	T	U

C	A	R	R	I	O	L	E	S
A	C	T	U	A	L	I	S	E

27

SEPTEMBRE

☀ 7h44 ☀ 19h39

St Vincent de Paul

BARRIÈRES MUTUALITÉ

D'autres solutions sont parfois possibles.

Mots en croix

En utilisant une seule fois les 9 lettres proposées, complétez les cases blanches du centre de façon à former trois mots horizontaux qui se croiseront avec trois mots verticaux.

E
I
I
I
M
N
O
R
V

		P	P	M		
		R	I	A		
P	O				O	N
A	R				R	E
P	L				E	S
		U	N	E		
		R	E	R		

28

SEPTEMBRE

7h45 19h37

St Venceslas

		P	P	M		
		R	I	A		
P	O	I	V	R	O	N
A	R	M	O	I	R	E
P	L	E	I	N	E	S
		U	N	E		
		R	E	R		

Mots détachés

Retrouvez les 14 mots découpés en 3 groupes de 3 lettres.
Il restera alors 3 groupes formant un nouveau mot.

ILE	YCL	REC	ECL	CLI
GEN	PEE	ITR	BOU	LET
NOT	RET	HOM	SER	TRI
TRA	MIE	ARI	ANG	RAL
PAS	ENT	NER	ONY	XON
LER	MAL	RAT	ION	ANT
AGE	INT	NTE	HAR	NQU
INE	KLA	CTO	EES	AIL
ATA	HAB	ELE	ICE	UER

1....... CLINQUANT
2....... ÉCLATANTE
3....... ÉLECTORAL
4....... GÉNITRICE
5....... HARANGUER
6....... HOMONYMIE
7....... INTENTION
8....... KLAXONNER
9....... NOTARIÉES
10....... PASSERINE
11....... RATTRAPÉE
12....... RECYCLAGE
13....... RETAILLER
14....... TRIBOULET

Le mot découvert est : ....

29
SEPTEMBRE

7h47 19h35

St Gabriel, St Michel

MALHABILE

Téte à queue

À chaque mot il manque une lettre, soit celle du début, soit celle de la fin. Une fois la grille remplie, un dernier mot apparaîtra dans la rangée fléchée.

					V	U	L	E
A	M	O	U					
					O	R	E	T
Q	U	I	N					
					O	E	U	D
S	E	R	A					
					P	O	U	X

30

SEPTEMBRE

7h48 19h32

St Jérôme

UVULE
AMOUR
GORET
QUINE
NŒUD
SÉRAC
ÉPOUX

ce qui donne :
URGENCE

Cases noires

Noircissez 14 cases pour rendre cohérente cette grille de mots croisés.

M	A	T	U	R	E	E	L	E	S
A	R	E	T	E	S	T	E	N	A
T	I	T	I	C	T	I	G	E	S
R	A	I	L	L	E	R	I	E	S
I	O	N	I	E	R	A	S	T	E
C	R	E	T	E	L	S	T	A	R
U	O	S	A	N	A	P	E	T	A
L	A	P	I	N	C	I	S	E	O
E	S	C	R	O	C	S	I	L	U
S	A	I	E	M	U	E	L	E	T

1er
OCTOBRE

7h49 19h30

Ste Thérèse de l'enfant Jésus

M	A	T	U	R	E	■	L	E	S
A	R	E	T	E	S	■	E	N	A
T	I	T	I	■	T	I	G	E	S
R	A	I	L	L	E	R	I	E	S
I	■	N	I	E	R	A	S	■	E
C	R	E	T	E	■	S	T	A	R
U	■	S	A	■	A	■	E	T	A
L	A	■	I	N	C	I	S	E	■
E	S	C	R	O	C	S	■	L	U
S	A	I	E	■	U	E	L	E	■

Lettres absentes

Avec les lettres qui ne figurent pas dans cette grille, formez un ou plusieurs mots.

J	S	T	V	B	M	R	K	D	F	G
L	F	K	O	P	A	J	D	Z	Y	G
L	A	S	T	V	P	A	J	N	W	X
K	D	Z	Y	R	K	D	F	B	M	G
N	O	P	A	J	N	O	G	L	A	W
O	B	W	X	N	O	G	L	Y	P	L
F	X	M	R	Z	B	J	S	T	V	M
R	Z	N	O	W	X	Y	P	S	T	V

2

OCTOBRE

7h51 19h28

St Léger

QUICHE
CHIQUE

Boules perdues

En utilisant toutes les lettres du jeu, vous devez découvrir et placer six mots de quatre lettres.

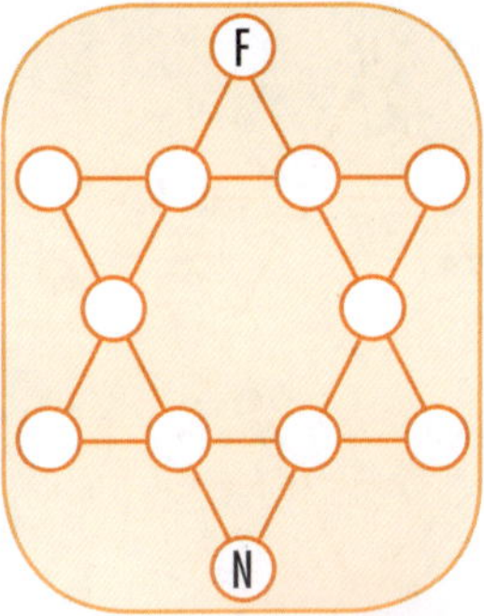

E I I I L

O O R S S

3

OCTOBRE

7h52 19h26

St Gérard

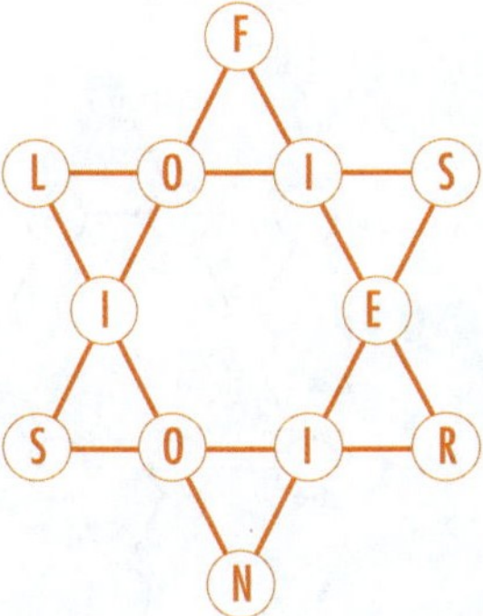
F
L O I S
I E
S O I R
N

Damier

Remplacez judicieusement, trois lettres de chacun des deux mots par les six pions, pour former deux nouveaux mots. Un même pion ne peut être utilisé qu'une seule fois.

C	E	G	I	L	O

U	R	É	D	I	N	A	L	E
A	P	P	A	I	R	A	G	E

4

OCTOBRE

7h54 19h24

St François d'Assise

ORIGINALE
ÉCLAIRAGE

D'autres solutions
sont parfois possibles.

Sudoku

Complétez la grille de sorte que chaque colonne, ligne ou carré 3x3 contienne une fois tous les chiffres de 1 à 9.

9		6		8			1	
	1	3			6	4	2	
						9		
3			7	6	4		9	
		8		1				
				2		6		
8		1	2			7		5
7				5		1	3	
		5						

5

OCTOBRE

7h55 19h22

Ste Fleur

9	4	6	5	8	2	3	1	7
5	1	3	9	7	6	4	2	8
2	8	7	4	3	1	9	5	6
3	5	2	7	6	4	8	9	1
4	6	8	3	1	9	5	7	2
1	7	9	8	2	5	6	4	3
8	9	1	2	4	3	7	6	5
7	2	4	6	5	8	1	3	9
6	3	5	1	9	7	2	8	4

Mots en croix

En utilisant une seule fois les 9 lettres proposées, complétez les cases blanches du centre de façon à former trois mots horizontaux qui se croiseront avec trois mots verticaux.

A
A
E
G
G
I
L
N
R

		T	A	A		
		Z	N	I		
E	P				L	E
D	E				N	I
C	H				U	R
		N	E	U		
		E	S	R		

6
OCTOBRE

7 h 57 19 h 20

St Bruno

		T	A	A		
		Z	N	I		
E	P	I	N	G	L	E
D	E	G	A	R	N	I
C	H	A	L	E	U	R
		N	E	U		
		E	S	R		

Tête à queue

À chaque mot il manque une lettre, soit celle du début, soit celle de la fin. Une fois la grille remplie, un dernier mot apparaîtra dans la rangée fléchée.

					E	B	R	E
M	E	T	E					
					I	P	O	U
M	A	R	D					
					I	C	O	U
M	U	R	A					
					X	I	G	U

7

OCTOBRE

7h58 19h18

St Serge

ZÈBRE
MÉTÉO
RIPOU
MARDI
LICOU
MURAL
EXIGU

ce qui donne :
ZORILLE

Carte de visite

Remettez dans le bon ordre les lettres composant le nom d'un personnage célèbre.

PAUL TROUSSIE

Chimiste français
(1822-1895)

8
OCTOBRE

☀ 8h00 ☀ 19h16

Ste Pélagie

LOUIS PASTEUR

Jeu de lettres

Remplacez trois lettres de chacun des mots par l'une des six proposées pour former deux nouveaux mots.

ILSTTU

C	É	L	É	B	R	I	T	É

F	O	N	D	A	T	I	O	N

9

OCTOBRE

8h01 19h14

St Denis

CELLULITE
TONDAISON

Addition

Complétez le tableau avec les chiffres proposés de façon à ce que les additions soient justes.

1	2	3	4	6	7	8	9

	+		+		=	8
+		+		+		
5	+		+		=	18
+		+		+		
	+		+		=	18
=		=		=		
14		13		18		

10

OCTOBRE

8h03 19h12

St Hugo

2	1	6
5	4	9
7	8	3

Dictionnaire

Quel nom commun vient logiquement s'intercaler entre les deux mots cités dans les pages d'un dictionnaire ?

RIEN

□□□□□□□□

RIEUR

11

OCTOBRE

8h04 19h10

St Firmin

RIESLING

Approximation

En vous aidant de la définition,
un peu tirée par les cheveux, découvrez l'énigme.

DÉFINITION :
Messager obèse

ÉNIGME :
Avion de transport de grande capacité

12
OCTOBRE
8h06 19h08
St Wilfried

GROS-PORTEUR

Mots

Trouvez au moins 30 mots de 3 lettres minimum en utilisant des lettres mitoyennes en vertical, horizontal ou diagonal. Exemple : HORS

H	A	R	I
O	V	E	Z
D	R	S	N
P	E	U	O

13

OCTOBRE

8h07 19h06

St Géraud

HORS - HORSE - HAVRES - HÂVES -
RIEZ - VARIEZ - ZEN - DOREZ - RUSEZ -
PESEZ - SUEREZ - REZ - USEREZ -
NOUEREZ - PRÉS - NOUÉS - PÈRES -
PÈSERA - RODÉS - DORÉS - ARES - NUES -
UNES - USERA - RÊVA - DRUES - RUSE -
PESO - SOURDE - VER - RÉA - VARIÉS -
PRO - ODES - RAVES - IRES - ZÉRO -
RIZ - SOUE - PEU - VERSE - VENUES -
PROVENUES - NOUS - URES -

Bonne orthographe

Des trois mots, lequel est bien orthographié ?

1) STELIONA
2) STELLIONA
3) STELLIONAT

(Fait de vendre ou d'hypothéquer un immeuble dont on n'est pas propriétaire)

14
OCTOBRE

8h09 19h04

St Céleste

3
STELLIONAT

Boules de billard

Placez les neuf lettres pour former six mots dans le sens des flèches. Certaines lettres sont déjà à la bonne place dans le jeu.

15
OCTOBRE

8h10 19h02

Ste Thérèse d'Avila

S

TA

AIL

GRUE

EXCÈS

STAGE

SALES

Il peut y avoir d'autres possibilités.

Trombones

En éliminant trois trombones, sans changer l'ordre des autres, vous découvrirez un mot de cinq lettres.

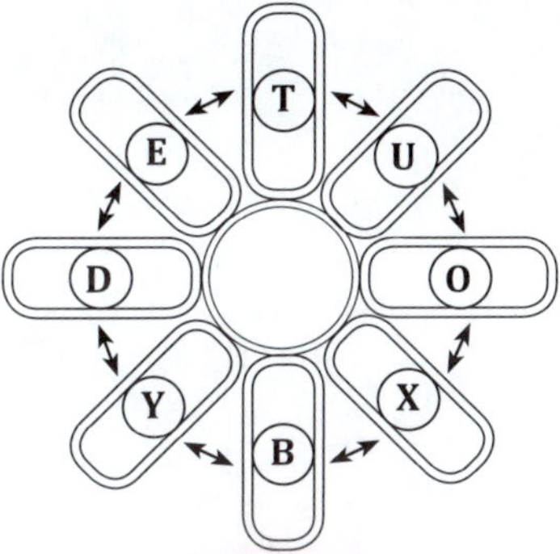

16
OCTOBRE

8h12 19h00

Ste Edwige

OXYDE

Cases noires

Noircissez 14 cases pour rendre cohérente cette grille de mots croisés.

S	O	U	D	A	N	A	I	S	E
A	T	R	E	S	I	S	E	I	N
N	I	E	R	K	A	S	P	E	R
S	T	E	M	U	S	E	I	N	S
A	E	S	E	R	I	N	E	B	A
N	O	U	S	A	L	E	U	R	S
A	R	A	N	T	E	E	M	U	S
T	E	L	L	E	S	D	O	S	E
A	P	P	E	L	E	S	U	E	E
L	U	E	D	E	L	I	T	E	S

17

OCTOBRE

☀ 8h13 ☀ 18h58

St Baudouin

S	O	U	D	A	N	A	I	S	E
A	T	R	E	S		S		I	N
N	I	E	R		A	S	P	E	
S	T	E	M		S	E	I	N	S
	E	S	E	R	I	N	E		A
N			S	A	L	E	U	R	S
A	R	A		T	E	E		U	S
T	E	L	L	E	S		O	S	E
A	P	P	E	L		S	U	E	E
L	U	E		E	L	I	T	E	S

Kakuro

Utilisez les chiffres de 1 à 9 sur chaque ligne ou colonne.
La somme indiquée dans la case colorée représente le total
des chiffres de la rangée correspondante.

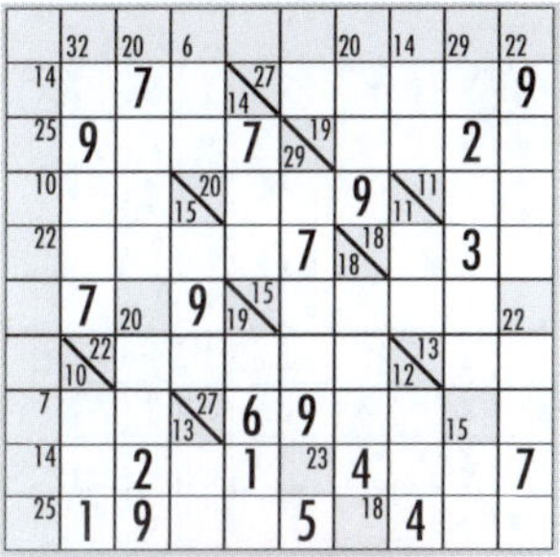

18
OCTOBRE

8h15 18h56

St Luc

6	7	1		2	3	8	5	9
9	4	5	7		8	6	2	3
2	8		5	6	9		7	4
8	1	4	2	7		9	3	6
7		9		3	6	2	4	
	6	2	9	4	1		8	5
4	3		6	9	7	5		2
5	2	6	1		4	3	9	7
1	9	7	3	5		4	6	8

Dédalo

Reliez chaque paire de chiffres par une ligne horizontale et/ou verticale (mais pas en diagonale) sans que les tracés de ces lignes ne se croisent ni se superposent.

								7	
6	7								6
1			2				2	1	5
	5	4						8	
	8			3				3	
							4		

19

OCTOBRE

8h16 18h54

St René

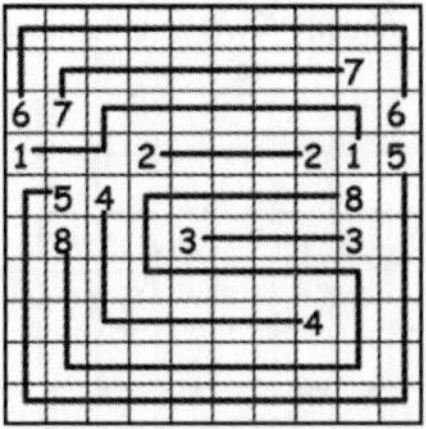
7
6 7 6
1 2 2 1 5
5 4 8
8 3 3
4

Quiz

En 2012, quelle coutume bretonne a été inscrite au patrimoine culturel de l'Unesco ?

20

OCTOBRE

8h18 18h52

Ste Adeline

Le Fest-Noz. Moment festif
partagé de pratique
des danses traditionnelles
bretonnes accompagnées
de chants et musique.

Cinq sur douze

Les 25 lettres permettent d'écrire 5 mots de la liste. Lesquels ?
Chaque lettre ne doit être utilisée qu'une fois.

D	O	S	N	A
D	E	M	I	I
I	S	F	N	L
R	D	D	O	A
E	R	I	U	S

ARMEE
CUVER
DIAMS
ECROU
FILIN
FROID
ISOLE
MURER
ONDIN
QUOTA
RADIS
SEULE

21
OCTOBRE

8h20 18h50

Ste Céline

DIAMS
FROID
ONDIN
RADIS
SEULE

D'autres solutions sont parfois possibles.

Damier

Remplacez judicieusement trois lettres de chacun des deux mots par les six pions, pour former deux nouveaux mots. Un même pion ne peut être utilisé qu'une seule fois.

E	I	N	R	T	V

P	Â	T	I	S	S	I	E	R
S	É	D	U	C	T	E	U	R

22

OCTOBRE

8h21 18h48

Ste Élodie

PATIENTER
SERVITEUR

D'autres solutions
sont parfois possibles.

Galerie

Complétez les noms en barrant les lettres dans la grille du bas. Les lettres restantes, lues dans l'ordre, vous donneront un dernier mot.

Thème : oiseaux

B		C	A			E		M		S	A			E
	I	G	O			E		F	A			A		E
	I	T		I	T			A		A	R		U	X
	A		A	R				O	R		O	R	A	
M	E	R				P			T	A			E	E

E	S	C	C	N	L	I	D	V	A	M	S
N	P	U	T	S	I	N	O	E	G	N	U
E	I	R	C	E	N	P	G	E	C	M	N

23

OCTOBRE

8h23 18h47

St Jean de Capistran

BÉCASSE
MÉSANGE
CIGOGNE
FAISANE
PITPIT
MACAREUX
CANARI
CORMORAN
MERLE
PINTADEAU

ce qui donne :
VAUTOUR

Hexaboules

Placez, dans la grille, les six mots de quatre lettres.

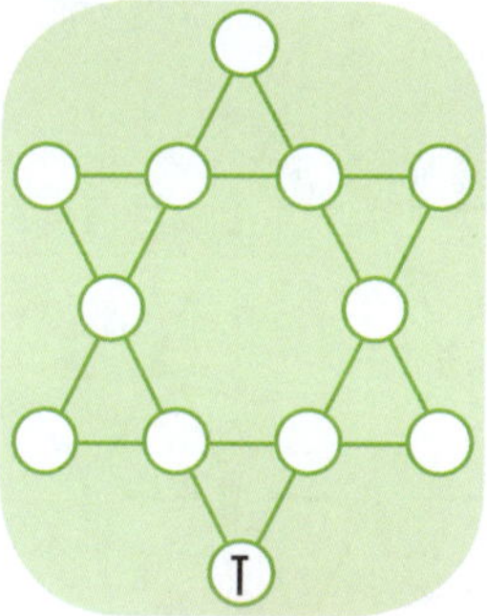

TAIT
TOIT
TORT
TOUT
TROT
TUAT

24
OCTOBRE

8h24 18h45

St Florentin

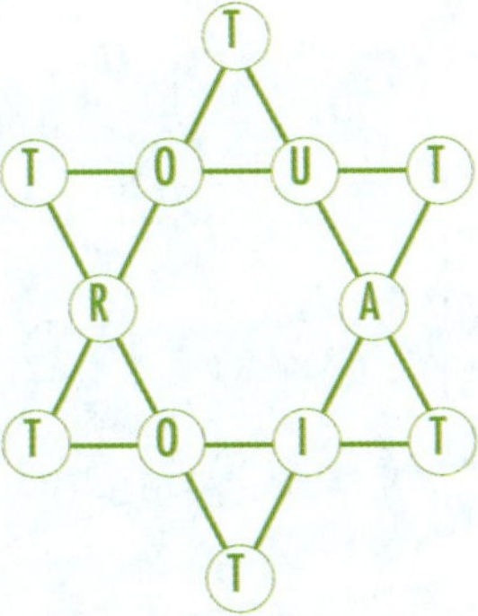
T
T O U T
R A
T O I T
T

Mots en croix

En utilisant, UNE SEULE FOIS, les 9 lettres ci-dessous, vous devez compléter le tableau de façon à former trois mots horizontaux qui se croiseront avec les trois mots verticaux.

E	I	M	N	O	R	S	T	U

		M	A	F		
		Y	R	O		
B	I				T	H
E	N				S	E
P	L				E	S
		R	R	I		
		E	E	R		

25

OCTOBRE

8h26 18h43

St Crépin

		M	A	F		
		Y	R	O		
B	I	S	M	U	T	H
E	N	T	O	R	S	E
P	L	E	I	N	E	S
		R	R	I		
		E	E	R		

Dédalo

Reliez les paires en vous déplaçant uniquement en lignes horizontales et verticales. Les lignes ne doivent ni se croiser ni se superposer.

									3
							8		
		6							
			7						
	9		1						
				7	6	4			
		4	1					2	
		9	5	3	5			8	
		2							

26

OCTOBRE

7h27 17h41

St Dimitri

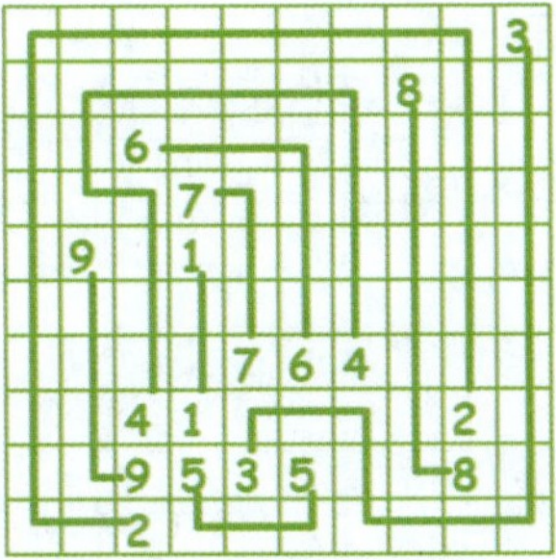

Lettre centrale

Regroupez les rectangles deux par deux pour former six mots de sept lettres en ajoutant au milieu une des lettres de la liste.

C E F I N T

GOU	FON
EAU	CIV
MOD	URE
USE	MAR
EES	SME
FRE	CYA

	○	
	○	
	○	
	○	
	○	
	○	

27

OCTOBRE

7h29 17h39

Ste Émeline

CIVISME
CYANURE
FONCÉES
GOUFFRE
MARTEAU
MODEUSE

Sudoku

Complétez la grille de sorte que chaque colonne, chaque ligne et chaque carré 3x3 contienne une seule fois tous les chiffres de 1 à 9.

	1					2		
							5	6
3		4						
	5		9					2
	9				1		7	8
		8			6		1	
4		9	5			1		
		7	6				9	
5					2	8		

28
OCTOBRE

7h30 17h38

St Jude

6	1	5	8	7	9	2	4	3
9	8	2	1	4	3	7	5	6
3	7	4	2	6	5	9	8	1
1	5	6	9	8	7	4	3	2
2	9	3	4	5	1	6	7	8
7	4	8	3	2	6	5	1	9
4	6	9	5	3	8	1	2	7
8	2	7	6	1	4	3	9	5
5	3	1	7	9	2	8	6	4

Lettres absentes

Avec les lettres qui ne figurent pas dans cette grille, formez un ou plusieurs mots.

K	Z	H	J	O	Y	M	A	H	J	N
D	G	T	V	K	T	W	Y	M	A	H
J	P	Q	B	P	O	N	B	P	Q	B
P	Q	R	Q	B	P	Q	R	R	Z	D
R	V	D	G	T	W	Y	M	Z	D	N
B	P	G	T	K	Z	W	A	Q	R	G
V	K	O	N	B	V	W	Y	M	A	H
J	Q	B	P	Q	R	V	K	R	N	B

29
OCTOBRE

7h32 17h36

St Narcisse

EXCLUSIF

Labyrinthe

Partez de la case 1 et trouvez le chemin qui vous conduira à la case 2 en formant un mot. Attention : n'utiliser qu'une seule fois une même lettre.

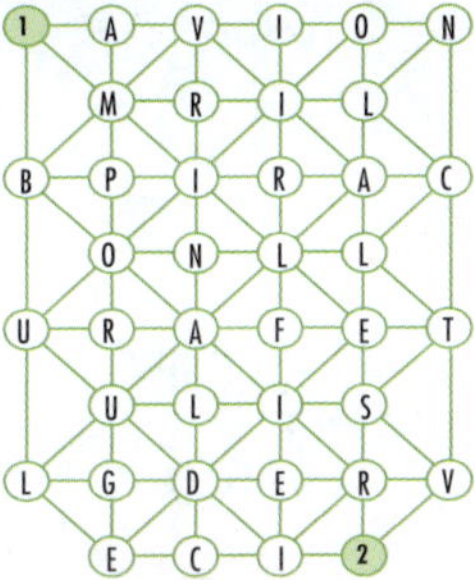

30
OCTOBRE

7h34 17h34

Ste Bienvenue

MINAUDER

Quatre coins

Les quatre mots sont formés de 4 lettres, une de chaque groupe. Les lettres du groupe 1 seront placées dans la première colonne, et ainsi de suite.

1: A B C D

2: A C E R

3: H N S U

4: E H N T

1	2	3	4

31
OCTOBRE

7h35 17h32

St Quentin

ACHE
BRUN
CASH
DENT

D'autres solutions s
ont parfois possibles.

Damier

Remplacez judicieusement trois lettres de chacun des deux mots par les six pions, pour former deux nouveaux mots. Un même pion ne peut être utilisé qu'une seule fois.

C	D	F	I	L	N

G	R	E	N	A	I	L	L	E
D	I	S	P	A	R	I	T	É

1er
NOVEMBRE

7h37 17h31

Toussaint

GRENADINE
FISCALITÉ

D'autres solutions
sont parfois possibles.

Quatre coins

Pour former un mot, il vous faut prendre une lettre dans chaque case. Les lettres de la case 1 seront placées dans la première rangée verticale, etc.

Case 1		Case 2	
B	C	E	H
D	R	I	O

Case 3		Case 4	
I	N	E	I
R	U	M	N

1	2	3	4

2

NOVEMBRE

☀ 7h38 ☀ 17h29

Défunts

BÉNI
COIN
DIRE
RHUM

D'autres solutions sont parfois possibles.

Mots en croix

En utilisant, UNE SEULE FOIS, les 9 lettres ci-dessous, vous devez compléter le tableau de façon à former trois mots horizontaux qui se croiseront avec les trois mots verticaux.

A	I	I	I	L	O	S	S	S

		C	P	V		
		O	L	O		
M	A				S	E
C	H				I	R
S	E				O	N
		S	I	N		
		E	R	E		

3

NOVEMBRE

7 h 40 17 h 28

St Hubert

		C	P	V		
		O	L	O		
M	A	L	A	I	S	E
C	H	O	I	S	I	R
S	E	S	S	I	O	N
		S	I	N		
		E	R	E		

Cinq sur douze

Les 25 lettres permettent d'écrire 5 mots de la liste. Lesquels ?
Chaque lettre ne doit être utilisée qu'une fois.

A	P	E	S	S
S	A	E	O	E
E	O	E	M	S
E	D	E	I	N
I	L	T	A	I

AIDAS
AINEE
CADRE
ETUDE
FILER
ISAIE
MESSE
NIORT
NOTEE
PERIL
PIANO
POELE

4
NOVEMBRE
7h42 17h26
St Charles

AIDAS
ISAÏE
MESSE
NOTÉE
POÊLE

D'autres solutions sont
parfois possibles.

Boules perdues

En utilisant toutes les lettres du jeu, vous devez découvrir et placer six mots de quatre lettres.

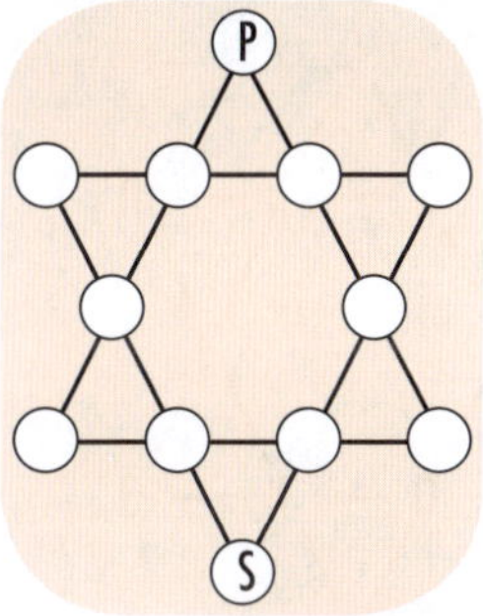

E N
G O
I R
N U
N U

5
NOVEMBRE
7h43 17h24
Ste Sylvie

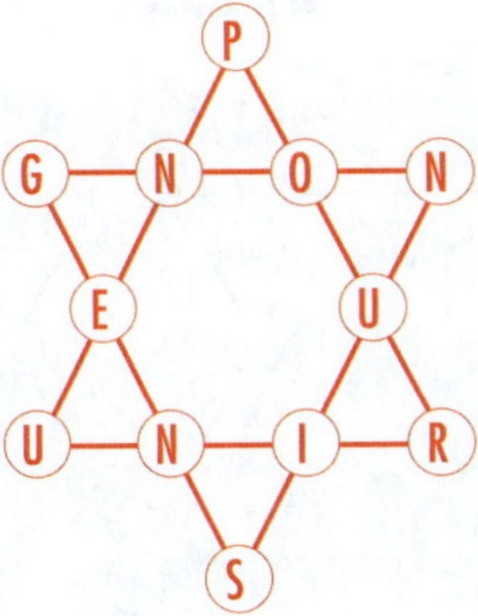
P
G
N
O
N
E
U
U
N
I
R
S

Cases noires

Noircissez 15 cases pour rendre cohérente cette grille de mots croisés.

B	O	R	D	E	L	A	I	S	E
O	P	E	U	R	A	M	P	E	S
N	I	M	E	S	S	A	E	R	E
S	N	O	B	I	A	N	C	R	E
G	I	R	L	A	N	D	A	I	S
C	O	D	O	N	S	E	N	S	E
I	N	S	U	R	E	L	I	T	E
V	I	R	I	L	L	E	G	E	T
E	M	U	E	T	M	E	S	S	E
T	I	S	S	E	E	D	I	T	S

6

NOVEMBRE

7h45 17h23

St Léonard

B	O	R	D	E	L	A	I	S	■
O	P	E	■	R	A	M	P	E	S
N	I	M	E	S	■	A	E	R	E
S	N	O	B	■	A	N	C	R	E
■	I	R	L	A	N	D	A	I	S
C	O	D	O	N	S	■	■	S	■
I	N	S	U	■	E	L	I	T	E
V	■	■	I	L	L	E	■	E	T
E	M	U	E	■	M	E	S	S	E
T	I	S	S	E	E	■	I	■	S

Quiz

La France détient le record mondial de fréquentation touristique.
Combien a-t-elle accueilli de touristes en 2015 ?

A - Plus de 20 millions
B - Plus de 45 millions
C - Plus de 85 millions

7
NOVEMBRE
7h46 17h21
Ste Karine

C - Plus de 85 millions

Carte de visite

Remettez dans le bon ordre les lettres composant le nom d'un personnage célèbre.

JEAN MORSSE

Peintre belge
(1860-1949)

8
NOVEMBRE

7 h 48 · 17 h 20

St Geoffroy

JAMES ENSOR

Vrai ou Faux ?

Toutes ces disciplines sont inscrites aux Jeux Olympiques d'hiver.

Ski de fond / Ski alpin / Surf
Ski acrobatique / Combiné nordique
Saut à ski / Ski free-style

9
NOVEMBRE
7h50 17h19
St Théodore

Le ski free-style
n'est pas une discipline olympique.
Le surf a été inscrit au J.O.
en 1998.

Téte à queue

Complétez chaque mot pour faire apparaître un dernier mot dans la rangée verticale.

					A	G	U	E
S	H	A	K					
					S	A	I	S
M	E	D	O					
					S	S	E	X
C	O	N	N					
					E	C	U	L

10
NOVEMBRE
7h51 17h17
St Léon

DAGUE
SHAKO
USAIS
MÉDOC
ESSEX
CONNU
RECUL

ce qui donne :
DOUCEUR

Cases noires

Noircissez 11 cases pour rendre cohérente cette grille de mots croisés.

R	E	N	T	R	E	R	A	I	S
E	S	P	A	D	R	I	L	L	E
S	S	I	C	A	R	E	B	E	C
T	O	I	T	C	A	N	I	F	O
A	R	C	R	E	T	E	N	D	U
U	S	E	N	T	I	F	O	U	R
R	I	L	O	U	P	A	S	P	I
E	N	L	E	V	E	R	S	A	S
R	U	E	M	E	U	E	S	U	T
A	S	S	I	S	T	A	N	T	E

11

NOVEMBRE

7h53 17h16

Armistice 1918 • St Martin

R	E	N	T	R	E	R	A	I	S
E	S	P	A	D	R	I	L	L	E
S	S	■	C	A	R	■	B	E	C
T	O	I	T	■	A	N	I	■	O
A	R	C	■	E	T	E	N	D	U
U	S	E	N	T	■	F	O	U	R
R	■	L	O	U	P	■	S	P	I
E	N	L	E	V	E	R	■	A	S
R	U	E	■	E	U	E	S	■	T
A	S	S	I	S	T	A	N	T	E

Trombones

En éliminant trois trombones, sans changer l'ordre des autres, vous découvrirez un mot de cinq lettres.

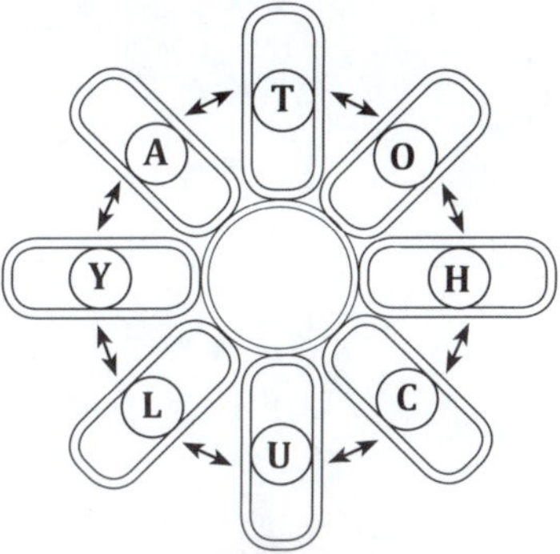

12
NOVEMBRE
7h54 17h15
St Christian

THUYA

Horloge

Retrouvez le nom ou l'expression en remplaçant les heures et minutes par les lettres correspondantes.

Thème : citation de Pierre Reverdy (1889-1960)

11h50	10h35
9h45	12h05
10h55	8h10
9h40	3h50
4h35	4h45
9h30	5h45
8h45	6h20

13

NOVEMBRE

7h56 17h13

St Brice

CRÉER C'EST PENSER PLUS FORTEMENT

Mots détachés

Retrouvez les 14 mots découpés en 3 groupes de 3 lettres.
Il restera alors 3 groupes formant un nouveau mot.

ITE	ISE	RIG	FRO	IMM
TOM	NER	TOR	QUA	PAS
MAG	GOT	LON	QUE	KOR
EME	ERE	OPE	TRI	BER
BER	ENS	ALE	ANE	IEN
EMB	ARD	ACR	UMI	PAU
SOV	JOB	ILL	LIN	NYC
TAL	POR	VRE	EAU	VAR
ALL	TIL	SSE	YLI	AGE

1....... ACRYLIQUE
2....... BERLINGOT
3....... EMBALLAGE
4....... FROMAGÈRE
5....... ILLUMINER
6....... IMMENSITÉ
7....... JOBARDISE
8....... KORRIGANE
9....... PASTORALE
10....... PAUVRESSE
11....... PORTILLON
12....... QUATRIÈME
13....... TOMBEREAU
14....... VARSOVIEN

Le mot découvert est : ....

14
NOVEMBRE
7h57 17h12
St Sidoine

NYCTALOPE

Quiz

Saurez-vous attribuer à chaque continent son plus haut sommet ?

EUROPE	MASSIF VINSON
ASIE	KILIMANDJARO
AMÉRIQUE DU NORD	MONT MCKINLEY
AMÉRIQUE DU SUD	PUNCAK JAYA
AFRIQUE	ELBROUZ
OCÉANIE	EVEREST
ANTARCTIQUE	ACONCAGUA

15

NOVEMBRE

7h59 17h11

St Albert

EUROPE >> ELBROUZ

ASIE >> EVEREST

AMÉRIQUE DU NORD >> MONT MCKINLEY

AMÉRIQUE DU SUD >> ACONCAGUA

AFRIQUE >> KILIMANDJARO

OCÉANIE >> PUNCAK JAYA

ANTARCTIQUE >> MASSIF VINSON

Galerie

Complétez les noms du sujet proposé en barrant les lettres dans la grille du bas. Ceci fait, les lettres restantes, lues dans l'ordre, vous donneront un dernier mot.

Thème : poissons

	U		E	T	■	E	S	T	U	R		E	O	
		E			I	E	■		I	R	E			E
C	H	A		O	T	■	S	C	A		A	I	R	
E	S		A		O		■		R	O			I	
C	O			R	E	■	T	E	T	R	O		O	

M	I	G	N	B	L	C	H	G	G	L	N
T	Y	N	D	L	N	N	N	D	O	S	A
U	L	P	D	N	B	R	N	G	E	L	E

16

NOVEMBRE

8h01 17h10

Ste Marguerite

MULET
ESTURGEON
BLENNIE
GIRELLE
CHABOT
SCALAIRE
ESPADON
GRONDIN
CONGRE
TETRODON

ce qui donne :
ICHTYOSAURE

Dico-test

Il vous faut découvrir un mot en vous aidant des définitions données. Votre score dépendra du nombre d'indices utilisés.

20/20

Confusion

****

15/20

Épais brouillard

****

10/20

Liquide sirupeux

****

MOT DÉCOUVERT :

....

17
NOVEMBRE

8h02 17h08

Ste Élisabeth

MÉLASSE

Sudoku

Complétez la grille de sorte que chaque colonne, chaque ligne et chaque carré 3x3 contienne une seule fois tous les chiffres de 1 à 9.

				6	4	1		
				1		5	2	
6			7				4	
	1				2	6		
3			5				1	
		4		3				
	3				6	8		
		5				2	3	
7		9					6	

18

NOVEMBRE

8h04 17h07

Ste Aude

2	5	3	8	6	4	1	9	7
8	4	7	3	1	9	5	2	6
6	9	1	7	2	5	3	4	8
9	1	8	4	7	2	6	5	3
3	2	6	5	9	8	7	1	4
5	7	4	6	3	1	9	8	2
1	3	2	9	4	6	8	7	5
4	6	5	1	8	7	2	3	9
7	8	9	2	5	3	4	6	1

Carte de visite

Remettez dans le bon ordre les lettres composant le nom d'un personnage célèbre.

ROGER DE
HOULICATTE

Peintre français
(1791-1824)

19
NOVEMBRE

8h05 17h06

St Tanguy

THÉODORE GÉRICAULT

Des dés

Replacez ces dés dans le bon ordre pour totaliser 14.

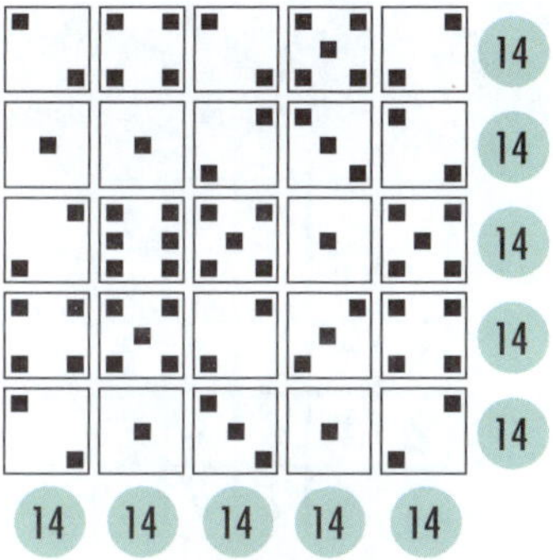

20

NOVEMBRE

8h07 17h05

St Edmond

1	4	2	5	2
5	1	2	4	2
2	1	5	1	5
4	2	2	3	3
2	6	3	1	2

Damier

Remplacez judicieusement, trois lettres de chacun des deux mots par les six pions, pour former deux nouveaux mots. Un même pion ne peut être utilisé qu'une seule fois.

A	F	G	I	P	T

S	U	R	A	C	T	I	V	E
F	O	R	E	S	T	I	E	R

21

NOVEMBRE

8h08 17h04

Présentation de la Vierge Marie

PURGATIVE
FORTIFIER

D'autres solutions
sont parfois possibles.

Labyrinthe

Partez de la case A et trouvez le chemin qui vous conduira à la case Z en totalisant 40 points. Attention : le chemin à emprunter ne doit utiliser qu'une seule fois un même chiffre.

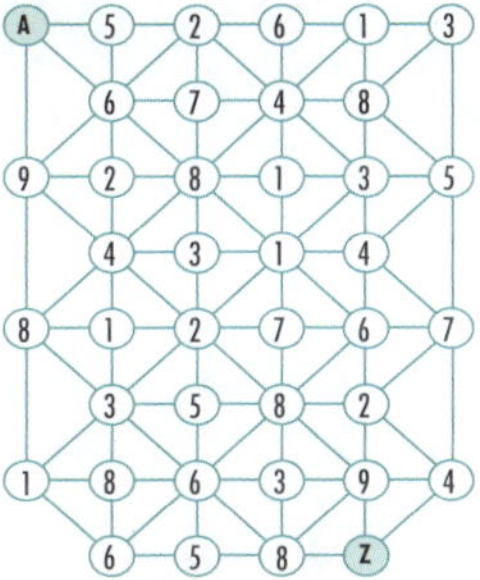

22
NOVEMBRE

8h10 17h03

Ste Cécile

6-8-3-1-4-7-2-9

Carré magique

N'utilisez qu'une seule fois tous les chiffres compris entre 15 et 23 pour obtenir les totaux placés autour de la grille.

Diagonales : 57 ↘ et 57 ↙

	57	57	57
57		21	
57			
57			

23
NOVEMBRE
8h11 17h02
St Clément

20	21	16
15	19	23
22	17	18

Quatre coins

Les quatre mots sont formés de 4 lettres, une de chaque groupe. Les lettres du groupe 1 seront placées dans la première colonne, et ainsi de suite.

I N
T U
1

A I
N S
2

3
D E
I L

4
E N
R T

1	2	3	4

24
NOVEMBRE
8h13 17h01
Ste Flora

INDE
NAIN
TILT
USER

D'autres solutions
sont parfois possibles.

Bonne orthographe

Des trois mots, lequel est bien orthographié ?

1) Des VOL-AU-VENT
2) Des VOLS-AU-VENT
3) Des VOL-AUX-VENTS

(Bouchées à la reine)

25
NOVEMBRE

8h14 17h01

Ste Catherine

2
VOLS-AU-VENT

Bonne addition

Placez les huit chiffres pour résoudre toutes les additions.

1 2

3 4

6 7

8 9

◯	+	◯	+	◯	=	6
+		+		+		
◯	+	◯	+	◯	=	20
+		+		+		
◯	+	◯	+	7	=	19
=		=		=		
13		14		18		

Plusieurs solutions sont parfois possibles.

26

NOVEMBRE

8h15 17h00

Ste Delphine

3	1	2
6	5	9
4	8	7

Téte à queue

À chaque mot il manque une lettre, soit celle du début, soit celle de la fin. Une fois la grille remplie, un dernier mot apparaîtra dans la rangée fléchée.

					U	I	E	T
F	O	U	T					
					O	D	E	R
E	T	A	N					
					O	C	I	F
P	I	A	N					
					E	V	E	U

27

NOVEMBRE

8h17 16h59

St Virgile

QUIET
FOUTU
IODER
ÉTANG
NOCIF
PIANO
NEVEU

ce qui donne :
QUIGNON

Approximation

En vous aidant de la définition un peu tirée par les cheveux, découvrez l'énigme.

Définition :

Campagnol

Énigme :

Train de bois sur une rivière

28

NOVEMBRE

8h18 16h58

St Jacques de la Marche

RADEAU
(RAT D'EAU)

Trombones

En éliminant trois trombones, sans changer l'ordre des autres, vous découvrirez un mot de cinq lettres.

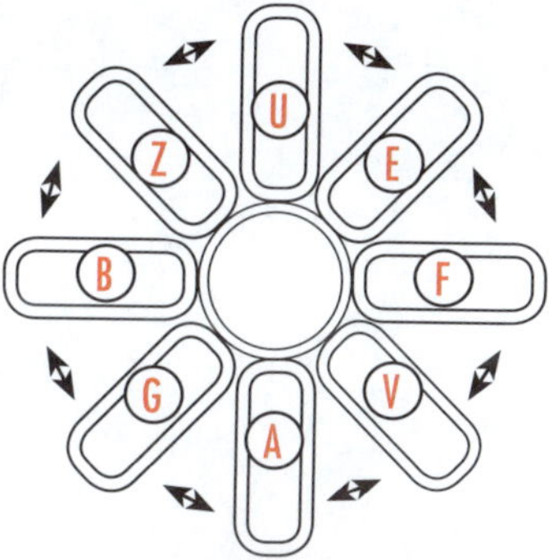

29
NOVEMBRE
8h19 16h58
St Saturnin

VAGUE

Échelle

Complétez la grille avec les lettes proposées de façon à composer 5 mots horizontaux et 2 mots verticaux.

A	A	C	E	E	I	L	M	R	R

↓			↓
	I	E	
	I	M	
	E	E	
	T	E	
	P	E	

30

NOVEMBRE

8h21 16h57

St André

C	I	E	L
A	I	M	A
R	E	E	R
I	T	E	M
E	P	E	E

Addition

Complétez le tableau avec les chiffres proposés de façon à ce que les additions soient justes.

2	3	4	5	6	7	8	9

	+		+		=	14
+		+		+		
	+		+		=	16
+		+		+		
	+	1	+		=	15
=		=		=		
11		16		18		

1er DÉCEMBRE

8h22 16h57

Ste Florence

4	7	3
2	8	6
5	1	9

À votre avis ?

Quel nom commun vient logiquement s'intercaler entre les deux mots cités dans les pages d'un dictionnaire ?

GUÉRI

□□□□□□□□

GUÉRILLA

2
DÉCEMBRE

8h23 16h56

Ste Viviane

GUÉRIDON

Bonne orthographe

Des trois mots, lequel est bien orthographié ?

1) ASPHYXIE
2) ASPHIXIE
3) ASPHIXYE

(État de détresse respiratoire)

3
DÉCEMBRE

8h25 16h56

St François-Xavier

1
ASPHYXIE

Échelle

Complétez la grille avec les lettres proposées de façon à composer 5 mots horizontaux et 2 mots verticaux.

A	E	I	I	L	O	S	S	S	T

	B	R	
	O	U	
	O	N	
	L	E	
	A	G	

4
DÉCEMBRE
8h26 16h55
Ste Barbara

A	B	R	I
S	O	U	L
S	O	N	O
I	L	E	T
S	A	G	E

Carré magique

N'utilisez qu'une seule fois tous les chiffres compris entre 1 et 25 pour obtenir les totaux placés autour de la grille.

	65	65	65	65	65
65				15	
65					
65					
65					
65	24				

↗ 65 ↖ 65

5

DÉCEMBRE

8h27 16h55

St Gérald

4	19	25	15	2
16	6	21	14	8
3	17	13	9	23
18	12	5	20	10
24	11	1	7	22

Chemin des mots

Placez les 9 lettres dans les cases blanches pour former horizontalement, verticalement et en diagonale 8 mots de 5 lettres.

A	B	E	E	E	F	U	U	U

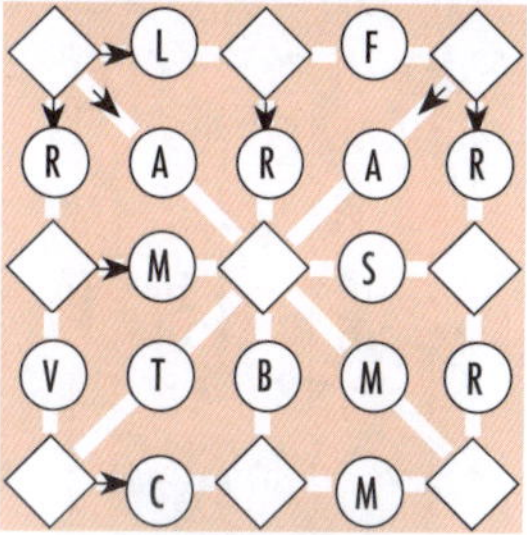

6

DÉCEMBRE

8h28 16h55

St Nicolas

B	L	U	F	F
R	A	R	A	R
A	M	U	S	E
V	T	B	M	R
E	C	U	M	E

Mots en triangle

À l'aide des définitions, remplissez ce triangle qui se lit dans les deux sens.

	1	2	3	4	5	6	7
1							
2							
3							
4							
5							
6							
7							

1 - Napoléon en était un petit.
2 - Couches
3 - Battre l'adversaire ou la glace.
4 - Soustraire
5 - Vous transporte.
6 - Champion
7 - Phonétiquement avec lui.

7

DÉCEMBRE

8h29 16h54

St Ambroise

C	A	P	O	R	A	L
A	L	I	T	E	S	
P	I	L	E	R		
O	T	E	R			
R	E	R				
A	S					
L						

Lettre centrale

Regroupez les rectangles deux par deux pour former six mots de sept lettres en ajoutant au milieu une des lettres de la liste.

(A) (B) (E) (L) (N) (V)

ETU	SYM
AVE	SES
RET	MES
INT	GER
OLE	EPO
EES	ESC

	○	
	○	
	○	
	○	
	○	
	○	

8

DÉCEMBRE

8h30 16h54

Immaculée Conception

ÉPONGER
ESCLAVE
ÉTUVÉES
INTÊRET
SÉSAMES
SYMBOLE

Labyrinthe

Partez de la case 1 et trouvez le chemin qui vous conduira à la case 2 en formant un mot. Attention : n'utiliser qu'une seule fois une même lettre.

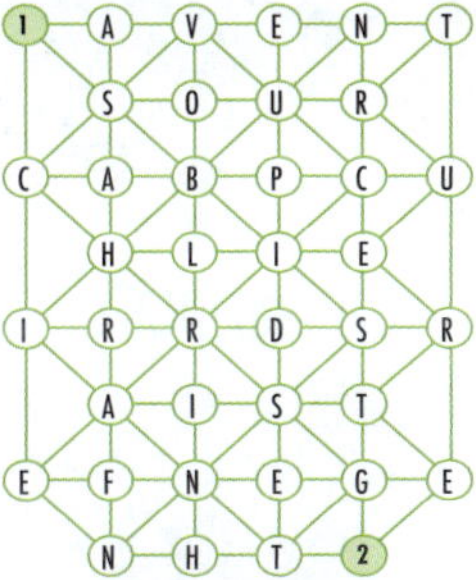

9

DÉCEMBRE

8h32 16h54

St Pierre Fourier

SOUPIRANT

Pyramide

Avec les neuf lettres données formez six mots qui s'inscriront sur la pyramide, dont deux dans le sens des flèches. Certaines lettres sont déjà à la bonne place dans le jeu.

E	F	I	L	O	R	S	T	U

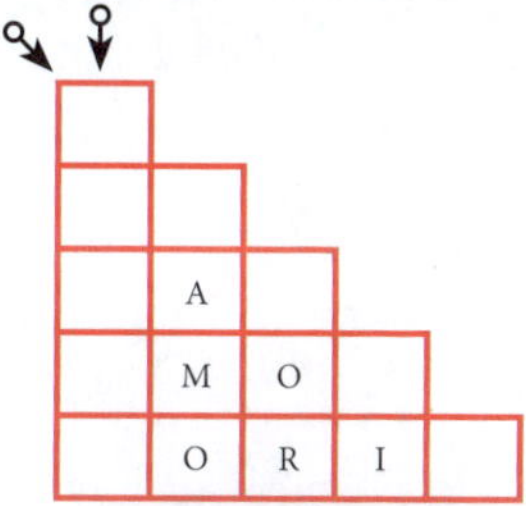

10
DÉCEMBRE

8h33 16h54

St Romaric

F
OU
RAS
ÉMOI
TORIL
FORET
FUSIL

Il peut y avoir
d'autres possibilités.

Lettres de mon moulin

Avec les 24 lettres placées autour du moulin, formez 6 mots de 4 lettres. Une lettre ne peut être utilisée qu'une seule fois et chaque mot doit être composé de quatre lettres différentes.

A	A	A	C	E	E
X					H
V					I
U					I
T					I
S					N
S					N
R	R	P	P	O	O

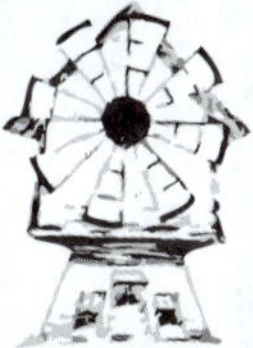

11

DÉCEMBRE

8h34 16h54

St Arthur

CRIN
HASE
OVIN
PAIX
POTE
SAUR

D'autres solutions sont possibles.

Téte à queue

Complétez chaque mot pour faire apparaître un dernier mot dans la rangée verticale.

					A	B	O	T
J	O	Y	A					
					E	T	R	O
G	A	L	O					
					S	S	O	S
H	E	R	O					
					A	T	E	R

12

DÉCEMBRE

8h34 16h54

St Corentin

JABOT
JOYAU
MÉTRO
GALOP
ISSOS
HÉRON
GÂTER

ce qui donne :
JUMPING

Quatre coins

Les quatre mots sont formés de 4 lettres. Une de chaque groupe. Les lettres du groupe 1 seront placées dans la première colonne, et ainsi de suite.

1

G R
S V

2

A E
I R

3

I O
R S

4

A G
E N

1	2	3	4

13

DÉCEMBRE

8h35 16h54

Ste Lucie

GROG
RISE
SERA
VAIN

D'autres solutions sont parfois possibles.

Faites vos comptes

Complétez cette grille de mots croisés, sachant que chaque lettre a une valeur en points et que le total de chaque mot est donné.

Le mot : SERIN figure dans la grille.

A = 1	N = 7
B = 2	O = 8
C = 3	R = 9
E = 4	S = 10
I = 5	T = 11
L = 6	U = 12

	38	6	24		24	
12				■		2
12		■		L		13
35						
	■	T				27
31			■			
	9	19		26		

14
DÉCEMBRE
8h36 16h54
Ste Odile

B	L	E		B
U		C	L	E
S	E	R	I	N
	T	A	O	N
R	E	N	N	E

Dico-test

Il faut découvrir un mot en vous aidant des définitions données. Votre score dépendra du nombre d'indices utilisés.

20/20

Rancune

****

15/20

Sommet montagneux

****

10/20

Organe dur porté par la mâchoire

****

MOT DÉCOUVERT :

....

15

DÉCEMBRE

8h37 16h54

Ste Ninon

DENT

Damier

Remplacez judicieusement trois lettres de chacun des 2 mots par les six pions, pour former deux nouveaux mots. Un même pion ne peut être utilisé qu'une seule fois.

F	L	M	R	T	U

C	H	A	P	E	L	I	E	R
C	O	L	L	A	T	I	O	N

16
DÉCEMBRE

8h38 16h54

Ste Alice

CHALUTIER
FORMATION

D'autres solutions
sont parfois possibles.

Bonne orthographe

Des trois mots, lequel est bien orthographié ?

1) MARANE
2) MARRANE
3) MARANNE

(Juif d'Espagne ou du Portugal, converti de force au catholicisme, qui pratiquait sa religion en secret)

17

DÉCEMBRE

☀ 8h39 ☀ 16h54

St Gaël

2
MARRANE

Boules de billard

Avec les neuf lettres données, formez six mots qui s'inscriront sur les boules de billard, dans le sens des flèches. Certaines lettres sont déjà à la bonne place dans le jeu.

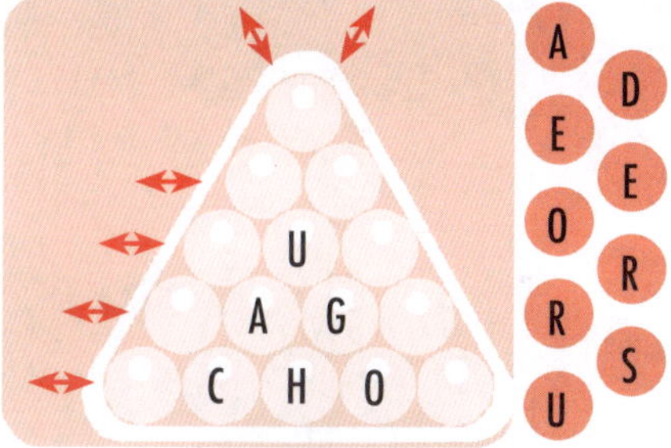

18

DÉCEMBRE

8h39 16h55

St Gatien

A
DU
OUR
RAGE
ÉCHOS

ADORE
AURÈS

Il peut y avoir d'autres possibilités.

Mots en croix

En utilisant, UNE SEULE FOIS,
les 9 lettres ci-dessous, vous devez compléter le tableau
de façon à former trois mots horizontaux
qui se croiseront avec les trois mots verticaux.

A	E	I	I	M	S	S	T	T

		B	H	G		
		R	A	L		
A	N				U	X
C	E				O	N
B	A				U	R
		O	E	U		
		L	R	L		

19
DÉCEMBRE

8h40 16h55

St Urbain

		B	H	G		
		R	A	L		
A	N	I	M	A	U	X
C	E	S	S	I	O	N
B	A	T	T	E	U	R
		O	E	U		
		L	R	L		

Lettre centrale

Regroupez les rectangles deux par deux pour former six mots de sept lettres en ajoutant au milieu une des lettres de la liste.

A D E I I T

ETE	REG
AIS	AOR
RES	STE
LES	BOH
MES	GRA
DEL	UEL

	○	
	○	
	○	
	○	
	○	
	○	

20

DÉCEMBRE

8h41 16h56

St Isaac

AORISTE
BOHÈMES
DÉLIRES
ÉTÊTAIS
GRADUEL
RÉGALES

chiffres

Placez les 4 signes entre les chiffres pour obtenir le total demandé.

1	6	8	50	100

+	-	x	:

Total à trouver : 158

21
DÉCEMBRE

8h41 16h56

Hiver • St Pierre Canisius

$$100 - 50 \times 6 : 2 + 8$$

Trombones

En éliminant trois trombones, sans changer l'ordre des autres, vous découvrirez un mot de cinq lettres.

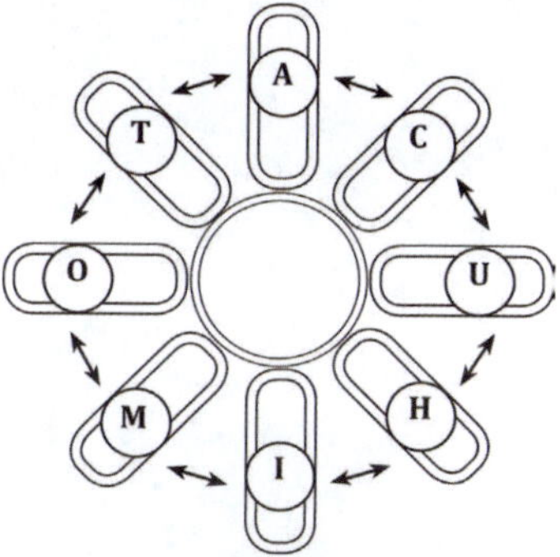

22

DÉCEMBRE

8h42 16h56

Ste Françoise-Xavière

CHIOT

Lettres absentes

Avec les lettres qui ne figurent pas dans cette grille, formez un ou plusieurs mots.

M	I	Z	J	B	P	C	V	F	W	A
N	B	P	C	N	X	B	T	D	V	F
W	G	X	T	D	F	M	W	A	G	N
X	B	H	Y	C	I	P	H	Y	Y	J
V	K	H	P	Z	C	M	C	I	T	D
G	I	Z	T	A	N	X	D	J	V	K
F	H	Y	I	V	K	P	H	Y	H	Y
J	P	Z	J	K	Z	C	M	K	T	C

23

DÉCEMBRE

☀ 8h42 ☀ 16h57

St Armand

LORSQUE

Lettre de plus

Il faut, à chaque ligne, ajouter une lettre au mot précédent pour en former un nouveau. Dans un premier temps, essayez de faire ce jeu sans vous servir des définitions.

E	
_ _	Dedans
_ _ _	Contredit
_ _ _ _	Le plus grand
_ _ _ _ _	Outil de tarzan
_ _ _ _ _ _	Habitant d'afrique
_ _ _ _ _ _ _	Bête
_ _ _ _ _ _ _ _	Nuisible
_ _ _ _ _ _ _ _ _	Inspirâmes
H I M A L A Y E N S	

24
DÉCEMBRE

8h43 16h58

Ste Adèle

EN
NIE
AINE
LIANE
MALIEN
ANIMALE
MALSAINE
INHALAMES

Jeu de lettres

Passez de F à FORESTIER en ajoutant une lettre à chaque ligne. L'ordre des lettres peut changer.

F								
F	O	R	E	S	T	I	E	R

25

DÉCEMBRE

8h43 16h58

Noël

F								
F	I							
F	I	E						
F	I	E	R					
F	R	I	S	E				
F	E	R	I	E	S			
F	I	E	R	T	E	S		
F	I	E	R	O	T	E	S	
F	O	R	E	S	T	I	E	R

Quiz

Le plus grand paquebot du monde, construit sur les chantiers navals de Saint-Nazaire, accueille :

- 4300 passagers
- 6700 passagers
- 8500 passagers

26

DÉCEMBRE

8 h 43 16 h 59

St Étienne

L'Harmony of the Seas,
lancé au printemps 2015,
peut accueillir 6700 passagers.

Grille 8x3

Complétez les cases blanches en utilisant tous les chiffres en-dessous. Attention : le total doit être identique dans chaque colonne.

6	2					4	6
2		3	8	4	3		5
	1			3	1	2	

1	1	2	3	4	5	6	7	8	9

27
DÉCEMBRE
8h44 17h00
St Jean

LE TOTAL EST DE 12

Cases noires

Noircissez 14 cases pour rendre cohérente cette grille de mots croisés.

D	E	N	T	S	U	P	E	R	S
A	T	O	U	T	R	I	S	O	C
N	A	S	E	A	U	X	E	C	O
U	T	O	U	T	R	E	C	H	T
B	I	E	R	E	S	T	O	S	I
E	S	T	C	R	U	E	L	L	E
P	E	N	S	E	L	L	E	E	R
G	R	A	U	L	I	O	N	G	O
R	A	A	R	O	N	G	E	E	S
E	S	P	E	R	E	E	L	S	A

28
DÉCEMBRE

☀ 8h44 ☀ 17h00

Sts Innocents

D	E	N	T	S		P	E	R	S
A	T	O	U	T		I		O	C
N	A	S	E	A	U		E	C	O
U	T		U	T	R	E	C	H	T
B	I	E	R	E	S		O		I
E	S	T		R	U	E	L	L	E
	E	N	S	E	L	L	E	E	
G	R	A	U		I	O		G	O
R	A		R	O	N	G	E	E	S
E	S	P	E	R	E	E		S	A

Sudoku

Complétez la grille de sorte que chaque colonne, ligne ou carré 3x3 contienne une fois tous les chiffres de 1 à 9.

	6			7				
			5			7		
3					6		1	
	5			3				8
2	1					6		
6						3	5	
1	7		2					
	3		4	8				
9					7		3	

29

DÉCEMBRE

8h44 17h01

St David

8	6	5	3	7	1	4	9	2
4	9	1	5	2	8	7	6	3
3	2	7	9	4	6	8	1	5
7	5	9	6	3	4	1	2	8
2	1	3	8	9	5	6	4	7
6	4	8	7	1	2	3	5	9
1	7	4	2	5	3	9	8	6
5	3	6	4	8	9	2	7	1
9	8	2	1	6	7	5	3	4

Quatre coins

Pour former un mot, il vous faut prendre une lettre dans chaque case. Les lettres de la case 1 seront placées dans la première colonne, etc.

Case 1 : C C H B

Case 2 : H I O R

Case 3 : I A N L

Case 4 : G A C C

1	2	3	4

30

DÉCEMBRE

8h44 17h02

St Roger

BING !
CHIC !
CRAC !
HOLÀ !

D'autres solutions
sont parfois possibles.

Sudoku

Complétez la grille de sorte que chaque colonne, ligne ou carré 3x3 contienne une fois tous les chiffres de 1 à 9.

				7	9		5	6
5		3						
	9					3	1	
	5	4					7	3
					1			
3	2					1	4	
9	4		8		6			
	1	2					8	
						6		1

31

DÉCEMBRE

8h44 17h03

St Sylvestre

2	8	1	3	7	9	4	5	6
5	6	3	1	4	8	9	2	7
4	9	7	6	2	5	3	1	8
1	5	4	9	6	2	8	7	3
8	7	9	4	3	1	2	6	5
3	2	6	5	8	7	1	4	9
9	4	5	8	1	6	7	3	2
6	1	2	7	9	3	5	8	4
7	3	8	2	5	4	6	9	1